玩转互联网金融

抓住属于你的黄金十年

孙诚德◎著

北京联合出版公司
Beijing United Publishing Co.,Ltd.

图书在版编目（CIP）数据

玩转互联网金融 / 孙诚德著 . —北京：北京联合出版公司，2015.11
ISBN 978-7-5502-6065-8

Ⅰ . ① 玩 …　　Ⅱ . ① 孙 …　　Ⅲ . ① 互 联 网 络 － 应 用 － 金 融
Ⅳ . ① F830.49

中国版本图书馆 CIP 数据核字（2015）第 195316 号

玩转互联网金融

作　　者：孙诚德
选题策划：北京时代光华图书有限公司
责任编辑：王　巍
特约编辑：李艳玲
封面设计：新艺书文化
版式设计：曾　放

北京联合出版公司出版
（北京市西城区德外大街83号楼9层　　100088）
北京嘉业印刷厂印刷　　新华书店经销
字数107千字　　787毫米×1092毫米　　1/16　　11.75印张
2015年11月第1版　　2015年11月第1次印刷
ISBN 978-7-5502-6065-8
定价：45.00元

目 录
contents

PART
第一章　**互联网金融商机无限**

你不参与，肯定落伍 /3

1. 商界热议 /3

2. 政界热议/6

3. 资本界抢投 /7

互联网金融的"钱"途大好 /12

1. 互联网金融是大众的金融 /12

2. 互联网金融适应了多方需求 /14

3. 互联网金融正在改变一切 /15

4. 互联网金融是人人可参与的透明交易 /16

互联网金融蕴含无限商机 /29

1. 创业机会 /29

2. 投资机会 /31

3. 融资机会 /32

4. 竞争机会 /32

互联网金融为我们提供更多便利 /34

1. 互联网金融是"接地气"的 /34

2. 互联网金融摆脱了中介 /38

PART
第二章　**互联网金融离不开金融的本质**

金融要抓好"一个中心，两个基本点" /43

1. 金融的一个中心："时间价值" /43

2. 金融的两个基本点：现金流、信用 /45

资金越流动越有价值 /46

1. 资金在流动中才能产生价值 /46

2. 现金流是企业的血液 /52

放大信用打通融资瓶颈 /55

1. 信用衡量你的支付能力 /55

2. 放大信用的工具：杠杆 /56

3. 企业最容易忽视的18种贷款模式 /58

4. 融不来资是你投资投错了地方 /61

PART
第三章　做好互联网金融离不开互联网思维

用互联网思维认识事物的本质 /65

1. 互联网思维第一个核心：开放、共享 /65

2. 互联网思维第二个核心：非生产、平台思维 /68

3. 互联网思维第三个核心：简单、极致 /72

4. 互联网思维第四个核心：体验、诱惑 /75

5. 互联网思维第五个核心：快 /77

6. 互联网思维第六个核心：颠覆 /77

传统行业，互联网在踢门 /78

1. 互联网只认超越，不认抄袭 /78

2. 互联网正在颠覆一切行业 /79

PART
第四章　互联网金融的"六脉神剑"

支付结算：第三方支付 /86

网络融资 /94

1. P2P贷款 /94

2. 众筹融资 /98

3. 电商小贷 /99

虚拟货币 /100

渠道业务 /101

金融互联网 /102

其他周边产业 /106

PART
第五章　**互联网金融之众筹**

众筹：众人拾柴火焰高 /109
1. 众筹把垃圾变为资源 /110
2. 众筹的理论基础：认知盈余 /111

众筹是筹梦想、筹资源 /113

众筹常见的四种模式 /117
1. 股权众筹 /117
2. 债权众筹 /118
3. 回报众筹 /118
4. 慈善众筹 /119

众筹经典案例 /121
1. 天使式众筹："大家投" /121

2. 汇集式的众筹：3W咖啡 /123

3. 凭证式的众筹：美微传媒 /125

众筹为何如此火爆 /128

1. 创业门槛低 /128

2. 可预知市场需求 /129

3. 可做廉价市场推广 /129

4. 可实现产销一体化 /130

四个关键，助力众筹成功 /132

1. 众筹成功的第一个关键点：个人魅力 /132

2. 众筹成功的第二个关键点：意义 /133

3. 众筹成功的第三个关键点：利益 /136

4. 众筹成功的第四个关键点：容易 /138

PART
第六章 **互联网金融之P2P**

P2P是难得的创业机遇 /143

1. P2P市场迅速发展 /143

2. P2P带来难得的创业机遇 /145

P2P贷款的四种模式 /148

1. 传统模式 /150

2. 担保模式 /150

3. 债权转让模式 /152

4. 平台模式 /153

P2P核心：征信与降低风险 /154

1. 投资关键：标准 /154

2. 标准关键：借 /156

投资P2P如何借"好标准" /159

1. 网查 /159

2. 口碑 /161

3. 交流 /164

4. 上门考察信息 /166

5. 综合考察 /171

如何规避P2P投资风险 /175

1. P2P投资的四个"绝不" /175

2. P2P投资的五个"慎重" /176

PART
第一章

互联网金融商机无限

/ 你不参与，肯定落伍 /

1. 商界热议

我们做企业想要赚钱，是选对方向更重要，还是努力工作更重要？我认为选对方向更重要，因为做生意最重要就是要看准趋势。如果选对了趋势，可能不用怎么努力，我们依然可以成功。所以做生意最重要的一个关键点，就是认清趋势。

如果选错了趋势呢？我们可以想一想，如果十年前，有个人选择了一个行业——打字行业。十年前这个行业还比较不错，但时至今日，这个行业还在吗？

十年前，一个人即使没有什么能力，只读到初中毕业，但他选择了汽车修理行业，那么今天在北京轻轻松松一年三五十万没有问题。为什么一个十年前只有初中学历的人到今天依然可以取得这样的收入？因为他选对了方向。我身边就有很多这样的朋友。

目前，有的人有房，有的人没房；有的人有车，有的人没车。如果时光能倒退到十年前，如果能让我们再回到十年前，重新来过的话，我相信今天大多数人都可以有房有车。因为如果回到十年前，我们就知道今天什么赚钱，什么不赚钱。

所以，如果真的能回到十年前，一般人都会选择买房子。然而，真正的投资人不会这么想。是否选择买房子，反映了我们是否具有投资意识与投资思维。一个真正的投资人会怎么做？

如果真的回到十年前，投资人只会做一件事情，就是把自己所有的家当都卖掉，然后找一个叫马云的人，把自己的钱投资给他；或者找一个叫马化腾的人，把钱投资给他；或者找一个叫李彦宏的人，把钱投资给他。如果十年前，我把钱都投给了这三个人，今天我的投资会有多少倍的回报？这才是真正投资人的思维。

所以，赚钱最重要的就是趋势。反过来，如果现在有一个时光穿梭机能够把你带到十年之后，哪怕只让你待一个小时就立刻回来，那么，十年之后，你能否取得成功？完全有可能。因为你知道十年之后什么赚钱，什么不赚钱。

任何人只要把握住了趋势，未来一定都能够赚钱。比如十年前，哪怕你是一个普通人，只要你进了互联网领域踏踏实实地干，在今天年入百万应该不是什么稀罕事儿。

现在，有人通过微信赚到了钱，有人通过微信没赚到钱。三四年前，如果你做微信，是不是随便一做就可以赚钱？可今天再做微信，机会就不多了。

当年微信刚开始出现的时候，我身边有一帮做培训的小兄弟，二十岁左右，他们就通过微信赚了很多钱。因为三四年前，很多人都不知道微信是什么，还没多少人用微信，他们是第一批知道微信这个工具及其功能的。他们在微信里注册公众账号，像以翟鸿燊、杜云生、陈安之、林伟贤等的名字注册了公众账号。表面看，这些公众账号是这些老师的，但实际上这些账号是这群小伙子在运营。他们在里面发各种各样与老师相关或行业内的信息，然后聚集了很多的粉丝。

想一想，既然已经聚集了这么多某个老师的粉丝，那么，如果这个老师某一次在什么地方开课，粉丝们会不会过去听？所以他们就用这一招，一年之内推广了几千名学员，一年赚了几百万。

为什么某些人能赚钱？因为他们把握住了趋势。这些二十岁的小伙子真的很有能力吗？他们并非能力突出之人。他们真的很有经验吗？也没有。他们有高学历吗？也不一定。那为什么他们今天可以赚到几百万？原因很简单，就是因为他们在几年前选对了行业，认清了趋势并努力地坚持了下来。

所以我觉得，投资者也好，企业家也好，普通员工也好，一定要选一个未来趋势好的行业。如果今天你投资了一个朝阳行业，哪怕你不怎么努力，只要趋势是对的，未来的结果也一定比投资一个夕阳行业要强得多。

这就好比当太阳升起的时候，你坐在太阳上面，什么事都不用干，依然会随着太阳升起；当太阳落下的时候，你坐在太阳上面，即使你再努力，也还是会落下。这就是趋势。

我想告诉大家的是，在未来至少十年的时间里，整个世界将迎来一个大趋势。我个人认为，在中国，这个趋势的市场价值是微信的十倍、百倍，乃至千倍。它会带来上万亿，乃至几十万亿的商机。这个趋势就是——互联网金融。

2. 政界热议

十八届三中全会通过的《中共中央关于全面深化改革若干重大问题的决定》指出，要完善金融市场体系。扩大金融业对内对外开放，在加强监管前提下，允许具备条件的民间资本依法发起设立中小型银行等金融机构。推进政策性金融机构改革。健全多层次资本市场体系，推进股票发行注册制改革，多渠道推动股权融资，发展并规范债券市场，提高直接融资比重。完善保险经济补偿机制，建立巨灾保险制度。发展普惠金融。鼓励金融创新，丰富金融市场层次和产品。

可见，对于互联网金融，不仅商界大佬在热议，就连政府也在热议。在近几年的"两会"期间，互联网金融也多次进入了"两会"的报道范围。

3. 资本界抢投

为什么现在互联网金融这么热，几乎所有人都在谈论互联网金融？商界、政界在热议，资本界也在纷纷抢投？

招商银行前行长马蔚华说过："以 Facebook 为代表的互联网金融形态，将影响到未来银行业的生存。"

"如果银行不改变，我们就改变银行"，可以算是马云说过的最豪放的一句话。为什么马云能够发出这么强有力的声音？为什么他敢说这样的话？因为马云掌握了大量的信息，认识到了最强有力的未来趋势。

很多人现在都在用高德地图，其实高德地图的老板也姓马，已被阿里巴巴全面收购；专门注册域名的网站——中国万网，也是阿里巴巴的全资子公司；另外，新浪微博也有一部分姓马，因为阿里巴巴以 5.86 亿美元入股了新浪微博。

马云为什么要布局这些呢？因为作为新浪微博的用户，你在微博里留下了很多的痕迹，马云如果是新浪微博的大股东，他就可以看到你的这些信息，看到你背后的粉丝资源。或者如果你用了高德地图，他就知道你在什么时间用过高德地图，他就可以判定你有没有车，你有什么样的出行行为。

马云还有淘宝，你在淘宝买了东西，他就会知道你买的具体都是哪些商品，花了多少钱。根据你买的东西，他大致就能知道你的消费倾向、消费喜好、消费习惯、消费能力。马云可以根据这些综合的信息，拿到银行都拿不到的资源。银行判定一个人的信誉，只能通过征信系统来查询。马云却可以通过社会化的系统，通过一个人在互联网上的足迹，来判断其行为记录。

因为有这么庞大的信息，所以马云可以做阿里小贷（"阿里小额贷款"简称）。在中国所有放贷的机构中，阿里小贷的呆账率、坏账率可以说是最低的。在中国的所有银行里面，坏账率最低的是招商银行，为1.5%，但阿里小贷的坏账率更低，不到1%。

招商银行那么多工作人员，那么多风控人员，才把不良贷款率做到1.5%，马云却用很少的人——一个放贷部一两百人就搞定了，并且效果比招商银行成千上万人做出来的还要好得多。而且这一两百人中大部分都不是审核人员，而是程序员。他们就是利用大数据，利用互联网的信息来做放贷。他们可以把坏账率控制在1%以内，所以马云才敢很豪迈地讲："如果银行不改变，我们就改变银行。"（如图1-1所示）

图 1-1 阿里巴巴未来业务

"如果传统银行不改变的话，它们就是 21 世纪一群要灭亡的恐龙。"马蔚华借用比尔·盖茨的一句话，总结了互联网时代银行创新的重要性。

现在，整个国际资本界以及国内资本界都在抢滩互联网金融市场。

中国互联网金融始于 2012 年，至 2014 年已形成网贷、众筹、第三方支付、保险、银行、信托等多种形式的网上金融交易结构。其中，网贷（P2P）是互联网金融最为活跃的组成部分，对中国互联网金融发展前途具有决定性意义。

2014 年上半年互联网金融领域投资金融环比增长 67.5%，同比增长 179.2%，数量上的增长已不俗，投资金融上的增速则更快。以下是2014年互联网金融领域融资机构的总概况（如表1-1所示）。

当然，这只是整个互联网金融投资浪潮中的冰山一角。

表1-1 2014年互联网金融领域融资机构的总概况

公司	融资时间	融资金额	投资方	公司性质
挖财	2014.12	千万美元级别	IDG资本、宽带资本、中金佳成	互联网理财
爱钱进	2014.12	5000万美元	高榕资本	P2P
翼龙贷	2014.11	小10亿元	联想控股	P2P
有财网	2014.09	不详	信辉创投	垂直金融电商
银豆网	2014.09	不详		互联网理财
雪球	2014.09	4000万美元	晨兴创投投资	社交投资
铜板街	2014.09	5000万美元	IDG资本	互联网理财
积木盒子	2014.09	3719万美元	经纬中国	P2P
人人聚财	2014.08	1亿元	博时资本	P2P
趣分期	2014.08	3000万美元		分期购物与投资理财
盈盈理财	2014.08	千万美元级别		互联网理财
有财网	2014.07	不详	海通直投、东吴直投、汇石	垂直金融电商
投哪网	2014.07	亿元级别	广发信德	P2P
融360	2017.07	不详		在线金融搜索
花果金融	2014.07	不详		互联网理财
91金融	2014.07	不详	海通开元、经纬中国、宽带资本	互联网理财
有利网	2014.06	千万美元级别	晨兴创投	互联网理财
易贷网	2014.05	不详	软银中国	金融搜索/资讯
金斧子	2014.05	1000万美元	红杉	金融搜索/资讯
钱先生	2014.04	1000万人民币	盛大资本/盛大	金融搜索/资讯
金融一号店	2014.04	1000万人民币	东软集团 Neusoft	金融搜索/资讯
拍拍贷	2014.04	千万美元级别		P2P
OKCoin	2014.03	千万美元级别		比特币

（续表）

公司	融资时间	融资金额	投资方	公司性质
钱小二	2014.02	100万人民币		金融搜索/资讯
网利宝	2014.02	1000万美元	IDG	金融搜索/资讯
融百科	2014.02	数百万人民币		金融搜索/资讯
人人友信	2014.01	1.3亿美元		P2P
东方睿赢	2014.01	数百万人民币		理财APP/服务
好投顾	2014.01	不详		理财APP/服务
Formax福亿	2014.01	数千万人民币	IDG资本、华创资本	理财APP/服务
钜派投资	2014.01	数千万人民币	新浪微博基金	理财APP/服务
PP钱包	2014.01	15000人民币	IDG资本、险峰华兴	理财APP/服务

注：资源来源于中华网财经。

　　很多投资者都在抢投互联网金融，今年有越来越多的资本在抢占互联网金融市场。

　　比如京东已经在谋划布局进入P2P（即点对点的网络贷款）领域，并明确表示持续关注P2P领域。2014年中国的整个P2P市场超过2000亿元，保守估计2015年P2P行业规模或破5000亿～6000亿元。

　　可能很多人会说，这数千亿的钱跟我有什么关系？如果你想要从这个市场里面分到一杯羹，赚取一些利润，那你一定要了解与接触互联网金融。互联网金融，未来势必前途大好。如果你不做互联网金融，必定是你的损失。

　　如果你错过了12年前的淘宝，4年前的微信，再错过今天的互联网金融的话，5年后一定会后悔今天不做互联网金融。今天的互联网金融，就好比4年前的微信，还有大量投资的机会。

/ 互联网金融的"钱"途大好 /

1. 互联网金融是大众的金融

那么什么是互联网金融？目前学术界尚无明确定义，但可以明确的是，以互联网为代表的现代信息科技，特别是移动支付、云计算、大数据、社交网络和搜索引擎等科技手段，将对人类的金融模式产生根本性的影响。互联网金融是一种既不同于商业银行间接融资，也不同于资本市场直接融资的第三种金融模式。

互联网金融是一种全新的金融模式，主要有以下几个特点。

第一，支付便捷，市场信息不对称程度非常低。

比如很多人原来支付都用网银，现在支付都用支付宝，ATM 肯定是早就不用了，就是因为支付宝更为便捷，而且安全有保障。由于大数据、搜索引擎、社交网络等的普及应用，信息越来越海量、透明，传播也越来越方便、迅速，因而会大幅降低市场信息不对称程度。

第二，资金供需双方直接交易。

资金的供需双方可以直接进行交易，银行、券商和交易所等金融中介都不再起作用。比如原来你要放贷，有人要贷款，两者之间只能通过银行来实现。但在互联网金融领域，双方就可以在 P2P 市场里直接完成交易。放贷者和借贷者就可以不用再通过银行而直接实现对接，省去了很多环节，节省了大量时间、精力。

第三，大幅减少交易成本。

互联网金融还可以提升融资效率，达到与直接融资和间接融资一样的资源配置效率，从而大幅减少交易成本，同时促进经济增长。

第四，市场参与者更为大众化。

更重要的是，互联网金融是一种更为民主化，而非少数专业精英控制的金融模式。目前金融业的分工和专业化被大大淡化，市场参与者也更为大众化。这就意味着在互联网金融中有很多大好的机会在等着我们。

2. 互联网金融适应了多方需求

多方需求的共同作用催生并促进着互联网金融的发展，主要表现在以下几个方面。

第一，中小客户对金融服务的需求强烈。

根据阿里巴巴平台调研数据显示，约 89% 的企业客户需要融资。如表 1-2 所示，需要融资 20 万 ~100 万元的企业占了几乎一半，需要融资 200 万元以下的企业的比例高达 87.34%。很明显，这些企业以中小企业为主，而目前的银行很难满足他们的金融服务需求。

表1-2 企业客户融资需求

融资需求	10万元	10万~20万元	21万~50万元	51万~100万元	101万~200万元
比例（%）	9.36%	19.35%	26.61%	20.76%	11.26%
50万元以下	55.32%				
100万元以下	76.08%				
200万元以下	87.34%				

第二，互联网企业积累了巨大的流量。

2013 年，流量排名前十的公司中有 9 家美国公司。根据最新统计结果，这一数字下降到了 6 家，中国的百度、阿里巴巴、搜狐与腾讯并肩进入榜单。

第三，金融业"油水"多。

这是众所周知的事实。而互联网金融能解决现在80%~90%的金融需求，尤其是满足大量"小融"用户的需求，市场惊人，因而赢利空间也会非常巨大。无论是中小微企业，还是个体工商户或广大个人消费者，都将是互联网金融的目标客户。

3.互联网金融正在改变一切

互联网金融正在迅速地改变着金融业、互联网业，以及社会生活的方方面面，包括人们的生活和消费方式，等等。

2015年中国移动互联网用户规模有望突破6亿（如图1-2所示）。移动互联网的崛起,使得线下购买行为向线上行为转移。

图1-2 中国移动互联网用户规模

来源：http://news.ikanchai.com/2015/0115/10401.shtml

之前中国的经济一直比美国落后，可是今天中国迎来了一个"弯道超车"的机会。为什么这样说？因为中国有着全世界最多的网民，而且中国的网络建设在全世界范围来讲也还是比较先进的。由于有着庞大的网民规模，因此我们在互联网金融领域有着天然的优势。

4. 互联网金融是人人可参与的透明交易

互联网金融通过互联网的超强渗透力，降低了金融信息不对称程度，提高了交易效率，降低了交易成本，让金融服务更"平民化"。互联网金融对金融业的影响主要有：

从交易结构上看，集中式交易变为点对点式交易，交易渠道扁平化；

从金融权力上来看，互联网金融可能会影响传统金融的权力契约；

从交易形式上来看，交易过程变得低成本、高效、便捷而又不失安全。

这三个层次，代表着金融民主化和普惠金融的趋势。

综合来说，互联网金融对整个社会的影响，主要表现在以下几个方面。

第一，人人可参与——互联网金融是一种"普惠金融"。

互联网金融本身是一种"普惠金融"。为什么说是"普惠金融"？举个例子，在原来的金融体系里，如果智商不高，根本做不了金融，所以以前一提到金融投资，好像跟普通人没有关系。从这个意义上来说，传统的金融是一种"精英金融"。

而互联网金融与生俱来的就是"草根的思维"，所以它是一种"普惠金融"。我们来看一个做普惠金融的代表。有一个人叫尤努斯，他是孟加拉乡村银行（也译作格莱珉银行）的创建人，开创和发展了"小额贷款"的服务，专门提供给因贫穷而无法获得传统银行贷款的创业者。2006 年，他与他创办的孟加拉乡村银行共同获得诺贝尔和平奖，奥巴马为其颁奖。联合国教科文组织的布鲁罗·拉菲亚在对孟加拉乡村银行进行调研后评价道："尤努斯取得的成就真是卓越非凡。"

为什么他能取得这样的成就？因为他是全世界第一个站出来做普惠金融的。一般的商业银行的股东可能是资本家，可能是政府，所以银行赚了钱，赚来的利润自然都归资本家，归政府。但是他创建的孟加拉乡村银行不同，他说："我希望我的银行，能给老百姓带来财富。只要你在我的银行存款达到一定程度，你就可以购买我银行的股份。"

截至 2011 年，孟加拉乡村银行股份的 92% 都在老百姓手里，所以银行赚的钱大多归了老百姓。这就叫"普惠金融"。

通俗来讲，"普惠金融"就是赚到的钱，最后基本都回馈给了老百姓。我国政府最近也在推进普惠金融。

前些年，我国的银行利息总体上是低于西方国家的。传统银行靠非常低的利息吸收存款，然后再进行放贷，从中赚取中间利润。但未来几年，银行的利息会逐步提升。因为改革开放这么多年，我们已完成原始资本的积累，所以下一步就是希望老百姓得到更多的实惠，分到改革的红利。因此银行的利率会整体提升，以互联网金融为代表的普惠金融也会是一个方向。

互联网金融对整个社会的第一个影响，就是推进普惠金融，因此国家重点支持。近几年，出现过多起中国大妈疯狂抢购黄金事件。为什么中国大妈买黄金？因为在中国投资的方向太少，老百姓投资获利太少。如果她们把钱放在银行里赚利息，一方面利率低，利息少，另一方面一旦通货膨胀，就会贬值。

但互联网金融崛起之后，老百姓就多了一个机会，比如P2P网贷，其年回报率达到8%，甚至可以高达20%。如果我们把钱存进银行，1万元活期存款，一年只有三四十元的利息。但如果我们把同样的1万元放在P2P平台里，按平均15%算收益的话，1万元一年的利息就可以达到1500元，是银行活期存款的几十倍。

普惠金融让每一个人都能够参与到金融里来。比如原来在银行买理财产品要5万元起投，如果你把钱放在余额宝里面1

元就可以起投，很多 P2P 平台 100 元就可以起投。而且原来你把钱存进银行，如果只存几天的话，都只能是活期，要想定期最少三个月。但是你把钱放进余额宝里，今天放进去，过几天取出来还是可以享受利息，哪怕你放 1 元钱进去也会有利息。所以，互联网金融让更多老百姓得到了实惠，这就是互联网金融的普惠性，以及带给我们大众的价值。

第二，信息公开透明——降低信息不对称程度。

互联网金融对整个社会的第二个影响，就是可以降低信息不对称程度。因为从金融权力上来看，互联网可能会影响传统金融的权力契约。

我经常讲一句话，即"所有的财富都来自信息不对称"。什么叫信息不对称？就是我知道，你不知道。你的每一分钱，几乎都是在你知道而别人不知道这种信息不对称的情况下赚取的。

如果你知道的东西，别人也都知道，你想想自己还能赚到他的钱吗？比如我要卖你一件商品，标价是 2 万元，如果你知道我的底价是 1 万元的话，你会还价多少？你很可能会还价到 1 万元吧？但我是卖家，你是买家，你如果一毛钱都不想让我赚，那我肯定就亏了。稍微好心一点的，可能会还到 1.1 万元或者 1.2 万元。毕竟我除了有进货成本之外，还有其他成本。

如果你根本就不知道我的底价是 1 万元，我标价 2 万元，你多半只能还到 1.8 万元左右。这样我就能赚到钱。

我们举一个非常经典的案例，来具体看一下，信息不对称与信息对称的情况下财富差距能有多大。

比如一杯豆浆卖 1 元钱或者 2 元钱，但如果换成高蛋白饮料呢？应该卖多少钱一杯？5 元？10 元？反正肯定会比豆浆贵一些对吧？接下来换成高氨基酸能量液，你觉得应该卖多少钱一杯？50 元？80 元？100 元？"高氨基酸能量液"你能听懂吗？估计大部分人都听不懂了。为什么要换成大家听不懂的名字？就是因为听不懂的东西，大家才会觉得很值钱。

如果说叫"高酵素营养液"，大家觉得它能值多少钱？200 元？500 元？高氨基酸可能还有人能听懂一点，但高酵素基本上没人能听懂了。

最后再换成"高抗氧化剂生命液"。什么叫抗氧化剂？20 世纪一位德国科学家获得了诺贝尔医学奖，他的获奖理论是：所有的癌细胞都是厌氧细胞，在氧气充分的情况下，癌细胞不会生长。几乎所有得癌症的人临死的时候，都挂着氧气瓶吸氧，就是因为那种情况下身体缺氧。身体一缺氧，癌细胞就发育。

如果你平常不跑步，突然跑 5 千米，你的身体会大量消耗能量，消耗氧气。这时，因为你的氧气消耗量比较大，你的身体会进行无氧的分解，在此期间你的体内会产生几百万个癌细胞。不过你也不要害怕，因为你的身体里还有一个免疫系统，可以把这些癌细胞消灭掉。但如果身体虚弱消灭不掉，比如对于一个癌症病人来讲，一杯高抗氧化剂生命液，就可以防止其身体的某些东西被氧化，帮其节约体内氧气。那么，对于这样一种东西，你觉得应该卖多少钱？有人说1万元，有人说10万元……价格绝对很高。

显然，这五样东西，在你眼里的价值是不一样的，可是我如果说出真相——这五样东西都是豆浆，肯定会吓你一跳。其实只是说法不一样而已。

首先豆浆由大豆榨制而成，大豆里面富含蛋白质，其含量接近牛肉的两倍。

那么氨基酸呢？氨基酸实际上是一个概念。初中生物课上讲过，每一个蛋白质都是由多个氨基酸按不同比例组合而成的。所以一个蛋白质可以分解成几个氨基酸，富含蛋白质就肯定富含氨基酸。

高酵素也是一个概念。酵素在医学上叫作酶，酶是人体内新陈代谢的催化剂，只有酶存在，人体内才能进行各项生化反应。人体内酶越多、越完整，生命也就越健康。

高抗氧化剂其实也好理解。大豆中含有异黄酮，是一种天然抗氧化剂，同时具有弱雌性激素作用。常喝豆浆可以防癌和预防老年痴呆。另外，也有很好的美容美颜的功效。

所以，豆浆既是豆浆，又是高蛋白饮料，又是高氨基酸能量液，又是高酵素营养液，同时还是高抗氧化剂生命液。

在解释的过程中，是不是我解释得越多，知识介绍得越多，你就觉得越复杂。所以知识含金量越高，这个东西的价值就越高。知识也是信息，所以还是那句话："所有的财富都来自信息不对称。"

给汽车做保养的时候，有时候换一个螺丝钉就要几百元。螺丝钉本身的成本可能只有几元钱，那对方为什么收你几百元？因为他会拆会装，而你不会拆不会装，所以他知道你不知道，他就这样赚你的钱。因此，作为老板，你如果想要做好企业，一定要学会利用信息不对称，一定要会玩概念。同样一个东西你不会包装，只能卖一两元；会包装，就可能值很多钱。

有一个职业是专门负责开关电梯的，就是你进电梯的时候他给你开，出门的时候给你关。倘若有一个这样的人去相亲，当别人问他做什么工作，他如果说是负责开关电梯的，那别人会怎么看？恐怕多少会有点轻视甚至鄙视。那么，如果包装一下，创造一个信息不对称，结果就会很不一样。比如他说自己是垂直交通管理员，那就让人感觉高大上了。

人都倾向于把自己听不懂的东西归入高大上的行列，无论任何时候，我们只要听不懂，就觉得好厉害。为什么你觉得大学教授厉害，因为他们讲课你大多听不懂，所以觉得非常厉害。如果一个人讲课你都听得懂，你就会觉得他没什么了不起。再次强调，所有的财富都来自信息不对称，我们要学会包装。

　　一位老板是卖衬衣的，为了让衬衣销售得更好，他做了一个促销活动。他在他的店里写了这样一条广告：原价499元，现价199元。如果你看到这样的信息，你会不会买？你不一定会买，因为这个所谓的原价499元你不知道是真是假，所以会有一些不信任感。

　　那么，我们换一个策略：原价499元，现价还卖499元，但从现在起至×月×日的这个活动期间，买一件499元的衬衣，送一台小型洗衣机。

　　这两种方式哪种好？肯定是第二种方式好，因为这其中创造了两个信息不对称。我们都不知道小型洗衣机的价格。实际上一台小型洗衣机的市场价约300元，批发价则为150元左右。如果原来卖499元，现在卖199元，那么每卖一件衬衣相对损失 300 元；如果原价 499 元，现价还是 499 元，但赠送一台洗衣机，成本约 150 元，那么每卖一件衬衣相对损失约 150 元。

第一种方式单纯通过降价，相对损失了 300 元。第二种方式通过赠送一台洗衣机，相对损失了约 150 元，而且就其效果来说，赠送的效果要比降价好得多。不难看出，这实际上还是利用了信息不对称的策略。所以如果你想做好营销，做好品牌，一定要人为地制造一些信息不对称。

你是不是很多时候都感觉相对于竞争对手，自己的产品价值含量不够高？其实大部分情况下，都是因为你的概念包装得不够好，没有充分利用好信息不对称的策略。

而互联网金融就能极大降低信息不对称的程度。那么，什么是金融领域里的信息不对称？比如原来我们有钱，但不能直接放贷给别人，而要先存进银行，通过银行再放贷给别人。这里面就存在两个信息不对称。

第一个信息不对称是我想放贷出去，但我找不到人放贷。而银行能找到，所以出于无奈，我只能存进银行。

第二个信息不对称是就算我能放贷，但我对风险没有认知，没有相关信息，因而没有风险控制能力。而银行有，所以我只能把钱交给银行，让银行去放贷。

在金融界有一句话："谁承担的风险最大，谁就能赚取最大的利润。"在放贷这个过程中，我们把钱存进银行，银行承担的风险比我们的风险大，所以银行赚走了大部分的利润。

原来的情况是信息不匹配，然而，如今在互联网领域就可以做到信息匹配。原来我们想认识一个人特别难，比如在一千年前，一个人一辈子所认识的人可能不超过一千人，因为他一辈子都出不了几次村，一个村只有几百人。但现在我们参加一个会，很可能就会见成百上千人。打开我们任何一个人的微信，可能都有几百甚至几千人，我就见过好几个有几万位好友的朋友。

互联网给了我们这个便利，它让更多的人能够相互认识。所以随着互联网越来越发达，信息不对称的概率会越来越低。比如原来一个信息从你这里传到别人那里，可能需要几天、几个月，甚至几年的时间，但是现在是不是新闻一发生，你立马就知道了？

还有一个所谓的匹配问题，比如你手上有1万元想放贷出去，另一个人有10万元的借款需求，那么你们就不能匹配，因为他一次得不到他想要的钱。但是互联网就可以解决这个问题。如果你有1万元，有没有另外一些人也有1万元？如果通过互联网再找到另外9个人都有1万元，你们合起来就是10万元，而那个人正好想借10万元，这样的话这笔交易就完成了。

在互联网时代，因为有了大量的数据基础，能够让大多数人聚集在一起，所以可以更好地让信息匹配。互联网金融能降低信息不匹配、不对称的程度，这也是为什么这几年互联网金融发展这么快的一个主要原因。因为原来我们想放贷真的不知道放给谁。为什么2014年6月一个月的时间内，P2P市场放贷额就达到150亿元？就是因为P2P平台满足了太多人投资和贷款的需求。那么，是不是这150亿元都是你要借10万元，他刚好要投10万元这样达成的？当然不是，这只是通过互联网实现了人与需求的聚集。

通过互联网，在线上要办一场万人大会不难，两万元的成本基本就能实现。但如果在线下，要办一场一万人的会议需要花多少成本？多长时间？成本肯定要高得多，时间肯定要多得多。

第三，交易过程低成本、高效、便捷且安全。

互联网金融对整个社会的第三个影响，就是使得交易过程变得低成本、高效、便捷而又不失安全。为什么银行有那么多人做风控，而阿里小贷只有约两百人？就是因为银行是靠人做风控，而阿里小贷是靠大数据审核。

我们平时转账是用支付宝还是用网银？为什么现在越来越多的人用支付宝转？因为支付宝转账不要手续费，而网银有的要手续费。显然，支付宝帮我们节省了成本，降低了交易成本。

我看过一个讲述民国时期的故事的电影。很有意思。其中有一幕是，早上股票一开盘，就有好多人排队买股票，拿了一沓厚厚的钞票买一沓股票回来，真是一张张纸质印刷的股票。这是中国股市发展初期的情景。

那么，20世纪90年代的时候，买股票还是这样的吗？不是了。那时候就可以电话买股票了，交易大厅里有好多穿着红马甲的人，天天拿着电话喂喂喂，来回接电话。到2000年以后，买股票就通过网上进行交易了。所以，交易成本也是一步一步在降低。

互联网金融与生俱来就可以把交易成本降到最低。我们还是来看阿里小贷跟银行的对比。传统的银行如果要放一笔贷款，它的成本是200多元。也就是说，如果你要贷1万元钱，银行通过传统的渠道进行人工审核后再给你放贷，它需要200多元成本，因为这需要有一层一层报批，至少也有人力成本。那么，如果银行只给你放贷1万元，它有没有利润可赚？答案肯定是没有。所以银行一放贷就是几十万、几百万，甚至几千万元，主要就是因为它的成本比较高。而阿里小贷可以给你贷几千、几万元，因为它的成本非常低，每放一次贷款，成本只有几毛钱。所以银行能比吗？根本就比不了，它们之间的成本是不一样的。

银行放款靠人工审核，阿里小贷则靠大数据，它调取你的物流信息、交易记录、存货信息等，根据各种各样的信息来决定是否给你放款。更难得的是，阿里小贷不仅成本低，不良贷款率也同样非常低。

这些就是互联网金融对整个社会的影响。

基于以上三个价值，我们可以说互联网金融是未来的一个大趋势。曾有人断定，十年之后，中国的互联网金融一定会有超过十万亿，甚至二十万亿、三十万亿以上的巨大市场。到那时候，可能大家出去根本都不用带钱，只要手机上装有支付宝、余额宝、微信等，直接扫二维码支付就可以了。

未来，我们可能连信用卡、储蓄卡都用不着了，只需要一张互联网身份证就可以走遍天下。这是未来世界的变化，不管你是否愿意投入到互联网金融里面来，这是趋势，任何人都不能阻挡。就像上网，不管你十年前愿不愿意上网，今天你都在上网。今天不管你愿不愿意做互联网金融，十年之后你也许不得不做。既然早晚都要做，何不现在就做。

/ 互联网金融蕴含无限商机 /

对互联网金融有了大致认识后，再来谈一下当前互联网金融中还有哪些机会。

1. 创业机会

在中国，P2P市场一直在野蛮生长，一年之内就新出一两千个平台。

有这样一个笑话：深圳有三名大学生，大学毕业之后找不到工作，便赋闲在家。闲着没事上网的时候突然看到互联网金融、P2P比较火，他们就注册了一个P2P网站，并承诺给别人多少利息。没想到第二天就有人汇来200万元。第三天，这三个大学生不敢把这些钱放出去，因为害怕放出去收不回来。他们拿了别人的钱要给利息，最后没办法竟然主动投案自首去了。

这虽然是个笑话，但也足以说明互联网金融的神奇，或者说这年头，互联网金融的钱就是这么好赚。

有一位大妈什么也不懂，花几万元找别人做了一个P2P公司，半年时间融了7000万元，结果最后被人家扭送到公安局。因为这7000万元不是免费拿的，她给不起利息，所以最后崩盘了。半年时间融资7000万元，你能想象吗？这就是互联网金融的力量。如果你有实力，也可以做P2P公司。

2013年的时候，只要做互联网金融就赚钱，现在也还是有机会的，尤其在众筹领域。在美国，众筹已经很成熟，而在中国，成熟的众筹网站还不是很多。如果你是年轻人，还可以通过互联网金融抓住这样一个创业机会。你可以参与众筹并从中拿钱，也可以自己组建众筹平台，在未来一定会有越来越多这样的网站。

互联网给了我们新的创业机会。按照传统的创业模式，一个年轻人跟一个40岁的人是完全不能比的，因为资本不一样、人脉不一样、能力不一样、经验不一样。可是进入互联网时代，一个20岁的人跟一个40岁的人，他们的起跑点却可以是一样的。互联网的发展带来了一个改变财务分配的绝佳机会。在互联网领域，十几岁、二十几岁的人赚到几百万，乃至几千万都有可能。

比如马佳佳，她的身价现在可能已经过千万了。一个"90后"女生，如果通过传统企业开店，能在短时间内就做出今天这样的成绩吗？显然是不可能的。但是她借了互联网的力，所以做到了。在互联网时代就是谁跑得快，谁就有机会。

再比如，1983 年出生的陈欧创办了聚美优品，上市市值近 40 亿美元。所以在互联网领域，年轻人与年长的人都在同一条起跑线上。对于年轻人来说，如果想创业，在互联网领域就有绝佳的创业机会，特别是在互联网金融领域，尚有很大发展空间。

2. 投资机会

如今很多人手里都有不少钱，可是把钱投进股市，怕担风险不赚钱；存在银行，也不赚钱。在目前的形势下，我建议你可以试着去投 P2P。假如到 1 万元一年收入 10%，第二年就变成 1.1 万元。根据投资倍增的理论，投资 1 万元，如果每年回收 10% 的话，40 年之后，你将成为亿万富翁。可见互联网金融为我们提供了一个非常好的投资机会。

当然，投资可分为两种：

第一，如果你手里有闲钱，可以考虑直接进入互联网金融领域。比如我有一个朋友，他是 2013 年进入互联网金融领域开始做 P2P 的，做了两年的时间，就从放贷 300 万元变为今天的 600 万元。

第二，如果你真的想创业或者有合适的机会，你可以投资一些互联网金融公司。现在有很多大的投资公司，都在追着互联网金融公司给它们投资，因为互联网金融的势头实在是太好了。

3. 融资机会

互联网金融会给中小型企业一个新的融资机会。比如，你有一家企业，一年有几百万的流水(即营业额)。在传统领域里，可能你借不到钱，也拿不到钱，但在互联网领域，你想拿到两三百万不是很难的事，甚至还很轻松。

4. 竞争机会

互联网金融还提供了竞争的机会。目前互联网金融还处于"春秋时代"，也就是说大家都在抢占市场，竞争激烈。

前文提过，在互联网领域，中国比美国起步仅仅晚了几年，而在互联网金融领域，更可以说几乎是同步的。相对来说，中国有一个巨大的优势，就是我们的网民数量规模远远大于美国。因而有人说，中国有可能借助互联网金融的力量，实现弯道超车，最终超过美国。同样的道理，对于很多企业家来说，也可以借助互联网金融的力量，或者直接转型为互联网金融企业，或者利用互联网金融，进行投资抑或与之合作，借这个机会实现"弯道超车"，超越自己的竞争对手。

所以，每个人都应该了解互联网金融。如果你是银行家、金融投资者，你需要了解互联网金融，因为未来它真的可能会"革你的命"；如果你是企业家，你需要了解互联网金融，需要变革，学会利用互联网金融来融资，或者找到合伙人；如果你只是一个普通人，你也要了解互联网金融，因为你可以从中贷到款，可以让你的钱拿到更高的收益。所以不管你愿不愿意，互联网金融真的来了。

/ 互联网金融为我们提供更多便利 /

1. 互联网金融是"接地气"的

谈起"三马合作"，很多人都知晓。所谓"三马合作"，是指马明哲领导的中国平安、马化腾领导的腾讯和马云领导的阿里巴巴三大集团公司合资成立"众安在线财产保险公司"，专门为互联网这一类的产品提供保险，从而实现三大行业巨头跨界合作。通过"三马合作"，保险业挺进虚拟财险以及网络贸易的新产品领域，从而开辟出新的保险大市场。

我相信，类似"三马同槽"的形式，未来估计会越来越多。从目前来看，如果你要在中国做互联网，无论如何你是绕不开这种竞争合作新常态了。

马明哲的战略，一是将旗下各种金融产品搬至网络上销售；二是打造金融产品的网销大平台，代销各种各样的金融产品以成为金融界的"阿里巴巴"。中国平安的"陆金所"网站便承载着这一使命。中国平安是零售金融业龙头,阿里巴巴和腾讯是国内两大互联网巨头,在互联网金融的背景下,三者有着强烈的互补要求,因而合作也更加频繁了。

有一段时间,微信、支付宝都声称要跟中信银行合作发行信用卡(如图1-3所示),而且是独家首发,结果后来这件事被叫停。虽然最终被叫停,但也从侧面证实了互联网金融对传统银行的冲击。不过,我认为未来很可能还会重新发行这些东西。

图1-3 微信+中信? 支付宝+中信?

那么,互联网金融有哪些优势?主要有以下几大方面:

第一,操作简单,方便快捷,比如支付宝。

第二，投资门槛低，一元钱起投。

第三，非常透明。如果把钱存在银行里，银行放贷给谁，你不知道；但是在网上 P2P 市场，他们放贷给谁，你都是知道的。

第四，周期不限。比如原来要存两天、五天的定期，银行不理我们，但现在余额宝是随进随出，周期不限，可以实现资金的高效配置和使用。

第五，成本低廉。都是以数据为基础，所以成本比较低。

第六，个性化定制。可以根据个人情况与需求定制特定的金融服务。虽然传统银行现在也都有网上银行和 24 小时的 ATM，但还是没有互联网金融个性化、人性化。

第七，随时完成，没有上下班时间限制。

第八，可以实现快速流通。

美国经济学家费雪提出了著名的费雪方程式 $MV=PT$（其中 M 是指货币总量，V 是指货币流通速度，P 是指商品的平均价格，T 就指总交易商品量），由此推导出 GDP= 货币总量 × 货币流通速度。比如一个国家有 10 亿资金，一年流动了 1 次，即创造了 10 亿的 GDP；10 亿的钱一年流动 10 次，那就是创造了 100 亿的 GDP,10 亿的钱一年流动 100 次，那就是创造了 1000 亿的 GDP。钱存在银行里，资金的流动速度没有那么快。但是在互联网领域，资金可以随进随出，这就加大了它的流动速率。资金的流动速率加大，就表示交易的速度加快。每一次交易创造一次 GDP 加速，意味着给社会增加了 GDP。

国家为什么倡导和鼓励互联网金融，因为国家要发展。而互联网金融的主要利好就在于，它可以加速整个经济的流通、财富的流通，加快生意成交的速度，以及加快企业现金流的流动速度。这样，势必会推进中国的经济快速发展。

可以说，互联网金融是中国在经济上超越美国的一个绝佳机会，因为中国不仅有强大的互联网网民规模基础，而且中国这些年的总体信用也有了一定的改善。此外，人的消费观念也有了新的变化，原来的"60后""70后"是不怎么喜欢消费的，但是现在的消费主力军"80后""90后"的思想和他们完全不一样，消费习惯也在急速改变。

以前是因为没有钱，或者没有 POS 机，没有手机转账，很多我们想买的东西买不了。但是现在第三方支付这么便利，在到处都有 POS 机，到处都可以手机支付的情况下，很多本来可买可不买的东西，结果被人家一忽悠或自己禁不住诱惑就刷卡了，支付了。原来你可以说没带够现金所以不买了，现在商家告诉你没现金可以刷卡，可以刷手机。

基于上述互联网金融的几个优势，我们一定要放开去做。中国经济走到现在，各种生意越来越难做，因为各类产品都过剩，竞争压力太大。互联网金融正好提供了新的经济增长引擎，国家一定会促使它良性发展，给予我们大力支持。"两会"期间，李克强总理也多次提出要让互联网金融更好地发展。

2. 互联网金融摆脱了中介

互联网金融可以摆脱中介，其好处可以归纳为以下几方面。

第一，它可以让资本往实业靠拢，驱动消费。

因为国家一定是鼓励和支持实业发展，但现在有很多做实业的中小企业拿不到资金，而通过网贷，通过互联网金融，就可以将很多钱输入实体企业。

第二，它可以扩充投资渠道，藏富于民。

具体来说就是让广大老百姓能够放贷，放贷之后还能通过高收益率实现财富的增值。

第三，它可以盘活小微企业。

它不仅可以盘活小微企业，同时也能增加货币的利用率，降低风险及交易成本，容易形成资金的规模效益。比如一个人没有足够的资金办一件事情，十个人、一万个人通过众筹的方式就可以办成。

互联网金融让世界变得更小，让效率变得更高，让资金流通变得更快，让 GDP 变得更高，源源不断地给这个社会创造财富。所以无论是你，是我，还是他，还是国家，都应做这项事业，也应支持这项事业。

互联网金融的核心是尝试摆脱金融中介在资金流转过程中的作用，将中介结构从市场交易主体中剔除，从而达到每个个体都是一个"自金融"的状态。所以，理想的互联网金融是：征信系统完善、风险控制有效、中介机构消失（如图 1-4 所示）。

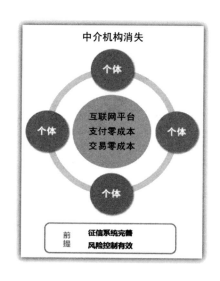

图 1-4 理想的互联网金融

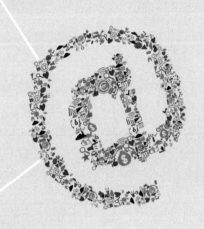

PART
第二章

互联网金融
离不开金融的本质

/ 金融要抓好"一个中心，两个基本点" /

要做好金融,最重要的是抓好"一个中心,两个基本点"（如图 2-1 所示）。

图 2-1 金融的"一个中心，两个基本点"

1. 金融的一个中心："时间价值"

要想做好金融，无论是哪种金融，都不能脱离金融的"一个中心，两个基本点"。这"一个中心"就是"时间价值"，也即时间带来的投资增值。如果你信用卡欠银行 5 分钱一直不还的话，5 年之后，它可能变成 1850 元。但是反过来，如果你在银行里存 5 分钱，想把这 5 分钱变成 1850 元，可能要存几千年。因为你欠银行信用卡的钱，是按天计利息；而你存到银行里的钱，则是按年计利息。所以金融最重要的一个中心就是时间价值。

我认识一位老板，他一张信用卡都没有。为什么没有？他说自己不敢用，因为害怕出不良征信记录，或者害怕最后还不了。爱因斯坦曾说："复利的威力远远大于原子弹。"复利，俗称"利滚利"。请问，将一张白纸对折 32 次之后，它会有多高？有人笑着说高到可以围着地球转一圈，也有人说可以到月亮上去。不管最后到哪里，我就是想告诉你，利息往上翻 32 倍以后，那个数字会大得惊人。

金融最关键的就是"复利"，银行家赚的就是复利。我们做投资是希望随着时间的滚动，投资能够增值，实现财富的增值。

不管是互联网金融，还是传统的金融，所有的金融背后都是逐利的。比如我年初放贷给你 1 万元，年底你要给我 1.1 万元，这就是在逐利；我今天给你的企业投资 1000 万元，等你上市之后，我希望拿回 5000 万元乃至一个亿、两个亿，这同样也是在逐利。

马克思说："资本来到世间，从头到脚，每个毛孔都滴着血和肮脏的东西。"这是资本的本质。

2.金融的两个基本点：现金流、信用

不管是互联网金融还是传统金融，目的都是为了实现财富的增值，而增值需要两个保障。如果没有这两个保障，可能你的企业是在不断增值，但在增值过程中，你不知道什么时候你的企业就会死掉。

哪两个保障呢？第一个保障是长期稳定的现金流，第二个保障是信用最大化。这是支撑财富实现增值的两个"翅膀"。

现金流为什么这么重要？我们经常讲"七十二行，现金为王"，所有的企业都离不开钱。不同的企业管理不一样、人不一样、制度不一样、产品不一样、营销不一样，但用的钱都是一样的。不管你的钱是怎么赚来的，花钱的时候没有人会问你的钱是怎么来的。从这个意义上说，所有的企业都是金融企业，因为任何企业都无法脱离金钱而存在，现金流是企业的命脉。

/资金越流动越有价值/

1. 资金在流动中才能产生价值

有一次，李嘉诚在下车的时候，一不小心，口袋里的一枚1元硬币掉了出来。这枚硬币掉下来之后，很不巧地掉到下水道里去了。这时候，李嘉诚的司机过来，伸手下去把它捡了出来。让人意想不到的是，司机捡出来以后，李嘉诚奖励了他100元的小费。

这个故事可能很多人都听过。我们想一想，作为生意人，李嘉诚在这件事情里亏了没有？有人说亏了，亏了99元。那李嘉诚为什么要这么做呢？他有他自己的解释。李嘉诚之所以能赚那么多钱，成为一代大商，本质上就是因为他的格局和我们普通人不一样。

有个电视剧叫《一代大商孟洛川》。里面有这样一幕：孟洛川很老的时候，有一天，他的孙子跑来问他："爷爷，什么是大商？"孟洛川说："大商就是算大账的。"

什么是算大账？就拿上面那件小事来说，捡1元，却奖励100元，损失了99元，这就是在算小账。可李嘉诚不是这么算的，他说："这1块钱如果埋在下水道里，就这么埋下去了，它就没有价值。但如果把它捡回来，放在市面上流通的话，它流通1次创造1元的价值，流通2次就是2元，3次就是3元，10次就是10元。"

也就是说，钱流通10次能创造10元的价值，流通100次能创造100元的价值，以此类推。但这1元如果在下水道里，它从此就失去了流通的作用。最后可能会因为这1元而让整个社会损失几万元、几十万元，乃至几百万元。如果把这个钱捡回来，它还能重新回到社会里，继续为社会创造财富。

所以对于李嘉诚来说，他拿了100元出来，他损失了100元；但是从社会角度来讲，社会却因此避免了很大的损失，钱得以继续在社会里流通并创造价值；而站在国家的角度，钱在你口袋里，跟在他口袋里没有区别，在谁那里都一样花。这就是大商的思维模式，这就是在算大账。

资金是有流动价值的，也就是说，资金只有在流动中才有价值。

有一次，银行家的儿子问他爸爸："银行的钱是咱家的吧？"爸爸说："当然不是咱家的呀。"儿子又问："既然银行的钱不是咱家的，为什么咱家能够开豪车、住豪宅呢？"银行家解释不清楚，毕竟这本身确实也很复杂。于是他对儿子说："这样吧，你去冰箱拿块肥猪肉吧。"儿子跑到冰箱拿了块肥猪肉，回来之后爸爸又跟他说："你再送回去吧。"儿子很诧异，非常不理解："怎么又让我送回去呢？"不过他还是照做了。之后，银行家就问儿子："你看你手上有什么？""油？""对，那就是我们剩下的。虽然钱不是我们的，但钱只要从我们这里流经，我们就能够赚钱。所以钱在流动中产生价值。"

我再讲一个小笑话。

一天，一家酒店来了一位要住店的客人，这位客人看了好几个房间都不满意，到处挑剔，之后又看了一个房间还是不满意，这时老板急了。

老板说："这样吧，你给我交 1000 元押金，我派一位工作人员专门跟着你看房子，我们酒店的房间一个一个让你看，我就不相信一个你都看不中，你只管看吧。如果最后你还是看不中，这个钱你可以全部拿走。"结果这位客人还真给了 1000 元押金，开始一间一间地看。

刚好前几天酒店装修，老板欠了装修工人 1000 元。老板就马不停蹄地把这 1000 元还给了装修工人；装修工人刚好前几天家里办喜事，用了很多肉，所以欠了卖肉的 1000 元，这位装修工人又马不停蹄地把这 1000 元还给了卖肉的；而这位卖肉的刚好前几天在这家酒店里面开房，欠了 1000 元，所以卖肉的人拿到钱以后又马不停蹄地赶紧还给了酒店。钱在酒店老板手里还没热乎，看房的客人回来了，他说："你们这是什么破酒店，我一间都不满意。"所以，最后老板就把这 1000 元拿出来，让客人拿走了。

在这个过程中，酒店老板有没有赚到这 1000 元？很显然没有。虽然没有赚到，但这 1000 元却在这个过程中产生了价值。所以在金融领域，使用权往往大于拥有权。你拥有资金，可能赚不到钱；我使用资金，就有可能赚到钱。这是因为资金在流动中产生了价值。

任何一家企业，如果想做好，一定要想尽办法打造长期稳定的现金流。

我们来看一下，一般企业的运作模式，都是有了正常的收入，并且钱到了公司的账上之后才支出，发工资、买原材料等，最后却总是赚不了多少钱。大多数企业都是这样的单线条的金钱流动过程，也就是边进边出（如图2-2所示）。所以往往干了很多年，也没有赚到钱，致使很多老板都抱怨做生意一年不如一年。

为什么一年不如一年？因为中国整体上大竞争时代已经来临，特别是资本竞争来临，产能过剩，在这种情况下，这种传统的企业用钱模式就显得愈发不科学、不合理。

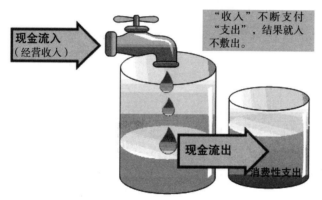

图 2-2 一般企业的用钱模式

企业一定要做现金流的改造，一定要形成长期稳定而且呈闭环式的现金流。我们来看图2-3，会发现它多了一个环节。

一般情况下，钱进入企业的现金池之后会流向两个方向。第一个方向是正常的支出。之后，我们还需要把一部分钱拿出来投资，或者利用其他的杠杆把钱送回到现金池，这是第二个方向。这样，我们的现金池时时刻刻都是满位的。但如果我们没有形成返回的环节，现金池可能就会一天满一天空。就好像企业的账一样，今天有钱明天没钱，后天有钱大后天又没钱，这样的企业怎么能稳定？

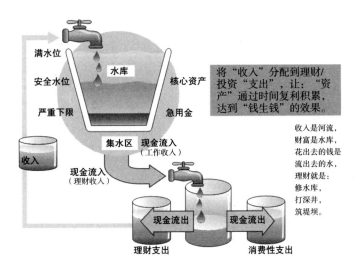

图 2-3 金融企业的用钱模式

很多企业在倒闭的时候，老板会感叹说："只要再给我三个月的时间，我就能挺过来。"可是市场能否给我们三个月的时间？不能。其实有很多倒闭的企业，只要能再借给它一个月的现金流，它就能活过来。之所以会到那步田地，往往都是因为当初没有设计好现金流的环节。

如果企业现金池里的钱长期保持满仓，企业就能长久保持活力，老板也就不用担心企业倒闭了。所以企业一定要做金融改造，形成稳定的现金池，由一边进一边出的方式变成循环的模式。

2.现金流是企业的血液

现金一般分为经营性现金、融资性现金和投资性现金。经营性现金流，即企业通过卖产品收回来的钱，卖多少就收多少。

很多做得很大的企业，表面上看是做互联网的或者卖家电的，其实都或多或少有涉及金融。比如淘宝在做金融，国美在做金融，京东在做金融。我们简单来看一下淘宝涉及的几种钱。第一种是正常的现金收益、经营收益、广告费收益。除此之外，表面上看，它似乎没有其他的收益了。但是我们在淘宝上买东西，所有的钱都要先押在支付宝里。2013 年和 2014 年的"双十一"，淘宝一天的交易额分别在 350.19 亿元和 571 亿元，即使在平常，一天的交易额也相当可观，所以它的账上永远都是满仓的，它当然可以拿着这些钱做一些事情。

马云这些年收购了多家企业，他所用的这些钱就叫融资性现金流。

国美也是一样，国美采购了厂家的家电，然后自己卖出去，半年之后再和厂家结账，所以它赚了这个账期的钱。与此同时，它拿半年的押账去做了一个鹏润地产，而地产前几年实在太赚钱了。所以，虽然国美本身并不怎么赚钱，但它的地产很赚钱。

有人说自己的企业很小，玩不了金融，这其实是错误的观念。所有的大企业曾经都是小企业，阿里巴巴也好，京东也好，不是因为一开始就大才变大的，而是因为先有了大的格局，先有了金融思维，才逐渐变大的。

我高中的时候，上的是一所私立中学。其实那所学校当时并没有多少钱，总投入也只有一百多万元。但是学校采用的是现金流经营这种模式，最典型的是饭票制。在学校里，不管买饭，买本子，买牙刷、牙膏，还是买其他东西，都不用现金，而要用饭票。

如果一个学生一个月在学校需要花200元，正常情况是每天都花一些，但是学校通过饭票制，让学生在每月开学的第一天就把所有的钱换成了饭票。这样本来该一个月到账的钱，一天内全部到了学校的账上。这些钱在学校的账上，学校当然能凭它做一些其他的事情。

我那时候就特别不明白，觉得学校干吗这么折腾，印饭票还要花钱，直接拿钱不好吗？现在我突然明白了，学校赚的就是融资性的现金流的钱。

一家企业小，一定是因为其思路小、格局小；一家企业大，一定是因为其思路大、格局大。要记住：就算是小企业，也一样可以做金融。

在金融领域，流传着一句话："羊毛出在猪身上，让牛来买单。"怎么做呢？

比如一家传统的销售型企业，主要代卖别人的设备，假设从厂家进货的设备价格是900万元，买进之后再以1000万元的价格销售出去，赚100万元的中间费用。在中国，这样的公司普遍存在。

假设你是这家企业的老板，你想由原来的进价900万元、售价1000万元的模式，转变成进价950万元、售价950万元，这就是典型的金融思维。因为厂家原价只有900万元，现在你给他950万元，他是不是很容易卖给你？

但是你要谈条件，"我可以多给你50万元，但要换一种付款方式。我先付你20%，剩下的钱我半年之后付你"，很多厂家都会同意。

销售的时候也是，"别人卖1000万元，我现在950万元卖给你，但前提是，你要一次性给我结清"，也会有买家一口答应。

这样，950万元进你账上之后，你只需要拿190万元给厂家，还剩760万元。这760万元可以在你账上放半年，你可不可以利用它来创造价值？

/ 放大信用打通融资瓶颈 /

1. 信用衡量你的支付能力

什么是信用？信用主要用来衡量你借钱的能力，把别人对你的信任转化为生产力并使用出来的能力，也就是别人眼中你的支付能力。

我们知道，金融的一个翅膀是现金流，另外一个翅膀是信用。信用代表着借钱或支付的能力，你的信用越高，你能借到的钱也就越多。有人能借到100万元，他的信用值就是100万元；有人能借到1000万元，他的信用值就是1000万元；有人借不到钱，就说明他没有信用。

2. 放大信用的工具：杠杆

放大信用的任何一种工具都叫杠杆。杠杆，通过别人来放大自己的信用。

比如有五家企业，每家企业都有 100 万元的授信，那每家企业都能贷 100 万元，而且也只能贷 100 万元，合起来也只有 500 万元。但如果这五家企业联保的话，每个人就可以贷 500 万元，最后五家企业一共可以贷 2500 万元。所以通过联保这个杠杆，我们就可以把原来 100 万元的贷款额增加到 500 万元，原来的 500 万元变成 2500 万元。

阿基米德有一句名言："给我一个支点，我将撬动地球。"可见杠杆有多神奇。

高端的投资人，可以把杠杆应用到我们无法想象的地步。中国有一句古话："一分钱难倒英雄汉。"人穷的时候，真的恨不得把一个钢镚掰成两半来花。不过华尔街的一些投资人却可以利用杠杆做到 196 倍，也就是说他们可以把一元钱当 196 元钱花，而咱们是一元钱恨不得掰成两半花，这就是能不能充分利用信用杠杆的区别。

有人将人做事分成几个级别：

第一种用自己的钱做事，叫人才；

第二种用别人的钱做事，叫鬼才；

第三种用银行的钱做事，叫天才。

韩国第一大企业三星也是利用信用杠杆迅速发展起来的。三星集团的产值几乎占韩国 GDP 的 1/3。

为什么这家企业这么厉害？其实它就是通过层层杠杆来获得巨大成功的。比如三星有品牌、有技术、有人才，如果三星找你合伙做一家企业，它出品牌、出技术、出人，你出钱，它占 51% 的股份，你占 49%，这样的企业，当然它说了算。比如你出 1 亿元，但三星出品牌、技术、人才，企业最后还是它说了算，这是第一个杠杆。紧接着三星再拿这 1 亿元做第二个杠杆，找另外一个人合伙做企业，三星出 1 亿元的本金，同时又出技术、出人，让对方出 10 亿元，再注册一家企业，它还占 51%，那么这家企业还是三星控股，以此类推。

三星通过这种层层控股的方式，不断利用杠杆，最后几乎掌控了整个韩国的经济命脉。这就是杠杆的力量。

作为企业家，你不妨回想一下，自己在经营企业的时候有没有用过杠杆？如果没有的话，建议以后尝试着用一用。这是金融的核心。杠杆就是利用别人的信用来杠杆别人的现金流。

成功学认为，你跟什么人混，决定了你的级别。只要你身边的朋友都是千万富翁，那你自己也不会差到哪里去。在金融圈里也有这样一句话，"你是谁不重要，你跟谁一起混比较重要"。如果你的朋友都是千万富翁，你就有希望成为亿万富翁。如果朋友圈中有 10 个人，他们每人拿出 1000 万元，合在一起就变成 1 亿元，将 1 亿元在你的账上放 7 天，你就可能变成亿万富翁。

比如在 2004 年的时候，全世界的钱大概只有 100 万亿美元，可是 2004 年光操作对冲基金的那一伙人，他们撬动的资本就达 600 万亿美元。也就是说，他们可以利用 1 元钱，通过撬动杠杆变成 6 元钱。他们就是通过杠杆，通过利用别人的钱，利用别人的信用来做到这些事情的。

金融可以通过杠杆放大力量。

3.企业最容易忽视的18种贷款模式

企业如果想打造持续稳定的现金流，在遇到金融瓶颈的时候，可以想办法跟银行合作来建立好自己的现金流，建立好自己的信用。如果现金流和信用都非常好的话，就可以在银行拿到很多种贷款。

银行的很多种贷款，实际上大部分中小企业是不知道的。比如 POS 贷，我在和企业家沟通时，一般会问他们有没有 POS 机，很多人都说没有。其实如果你有 POS 机，利用 POS 机就能贷款。中信银行跟银联合作推出了一款特别的商务 POS 机。你如果用这款 POS 机收账，信用和使用情况都比较好的话，一年至少可以从中信银行贷 50 万元。很多企业家一年的多数流水往往都是白白的流水，其实利用流水记录，就可以从银行办出贷款。这对于很多中小企业来说，无疑能解决不少问题。

再比如工资贷，很多人都没听过。什么是工资贷？举例来说，如果你的企业是大型国有企业，你一个月的工资是 1 万元。那你可以从银行贷出你 36 个月的工资，合计就是 36 万元。如果你是普通公司的员工，若一个月工资也是 1 万元，那你只要拿到半年正常工资之后，你就可以从银行贷出你 12 个月的工资，即 12 万元。

很多老板天天给员工发工资，却从来没给自己发过工资。这样的老板委实不少。如果你是老板，按正常的企业平均赢利水平，假设一个月赚 5 万元，你把这 5 万元当工资，那么，按照上面的标准，你贷 12 个月的款，就能贷 60 万元。所以在此提醒各位老板，以后一定要给自己发工资。发工资不仅对你的银行贷款有帮助，而且对你办信用卡等很多方面也都会有帮助。

每次我说到这点，很多老板都会拍着大腿说："哎呀，我开公司这么多年来，就从来没给自己发过工资。"你不给自己发工资，银行也就认为你没有信用，没有收入。

企业家要转变观念，这些都搞清楚了，就会发现有很多贷款可以供选择了，比如信用贷、抵押贷、经营贷、库存质押、存单质押、保单质押、股权质押等。

以保单质押为例，假设你买了一个 100 万元的保险，就可以拿这个保单贷 90 万元，更多的可以贷 95 万元。就是说，你买了一个保险，不仅有了一个保障，同时也可以贷出来钱。此外还有旅游贷、现金流量贷、装修贷、车位贷、私人银行贷等多种贷款（如图 2-4 所示）。

18种贷款方式

信用贷、抵押贷、经营贷、库存质押、存单质押、保单质押、股权质押、现金流量贷、POS贷、工资贷、旅游贷、装修贷、车位贷、私人银行贷、留存结余贷、互助基金、联保贷、应收账款贷。

图 2-4　18 种贷款方式

图 2-4 中的这 18 种贷款，你的企业适合哪一种，你就申请哪一种。这 18 种贷款都研究透了、用得好的话，会让你的企业财富倍增。

4. 融不来资是你投资投错了地方

投资和融资，是和金钱有关的永恒话题。

我问过很多企业家一个问题："现在有两件事让你去做，第一件是让你借到 4 亿元，第二件是让你把章子怡娶回家，这两件事情，你觉得哪一件更难？"有人可能会说借 4 亿元难。那我再接着问："如果能把章子怡娶回家，拿着她的名号，你能不能借来 4 亿元？答案很显然吧。但如果给你 4 亿元，你就一定能把章子怡娶回家吗？不一定吧。"所以哪件事情更难？借 4 亿元叫融资，取章子怡叫投资，有时候，投资的难度比融资大得多。

投资投的是未来，今天你之所以融不来资，是因为当年投错了地方。假如十年前，两个人有相同多的钱，他们用相同多的钱在北京不同的区域买了不同的房子。今天，他们都想把自己的房子卖掉。他们售出的速度，就很不一样了。也许一个人的房子挂出去一天就能卖出去，而另一个人的房子挂出去一个月也不一定能卖出去。

为什么有的人一天就能融来资，有的人一个月也融不来资？

我们之所以融不来资，是因为当年投资没有选对行业，没有选对趋势，或者没有投资对人……孩子能好好上学，将来考清华或北大，基本就算投资成功。等你老了之后，融资也很容易，孩子每个月给你几千元钱花，这就叫融资成功。

企业金融有三个基本的要素：第一个是增值，第二个是现金流，第三个是信用。现金流和信用背后往往还有一个工具叫杠杆，利用杠杆可以把现金流和信用放大，然后找准方向投资。所以企业一定要想尽一切办法，保证持续稳定的现金流来放大信用。

我在跟一家名为易游天下的企业谈合作。这家公司的模式，我觉得非常不错，是一种非常好的金融模式。一般来说，假如你是厂家，你把你的货以200元的价格批发给了代理商，代理商可能卖500元，给你打款200元，自己还能赚300元。但易游天下不这么做。

按理来说，销售的收入应该全部都是代理商自己的，根本不用给总部。可是易游天下却要求代理商将其销售收入悉数汇入总部账户，一个月之后再返还。虽然这些钱不是总部的，但它们在总部账户里放上一个月，便产生了新的价值。

一年之内，仅这些代理商额外打过来的钱，就有一个多亿。虽然这些都不是易游天下自身的收益，但其账户多出这么多资金，一年就能从银行多拿出来2000多万元的授信。这2000多万元的授信对于易游天下来说，作用就大了。

从这个意义上说，每一个成型的机构，都是一家金融企业。

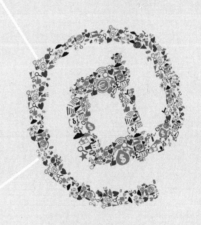

做好互联网金融
离不开互联网思维

/ 用互联网思维认识事物的本质 /

最近几年，大家都在谈论互联网思维。很多企业家都说：
"就算不是互联网企业，你也一定要用互联网思维来治理自己的
企业，因为人在变。"

更进一步来讲，即使你的企业不是互联网企业，但你的员工
现在基本都在上网，既然大家都在上网，所以做任何事情不管是
做管理，还是做营销，都一定要了解互联网思维。当然，做互联
网金融就更应该了解互联网思维了。

我认为互联网思维有几个核心：第一个是开放、共享、参与、
普惠，第二个是平台思维，第三个是简单、极致，第四个是体验，
第五个是快，第六个是颠覆。下面我们就来一一分析。

1.互联网思维第一个核心：开放、共享

我们是一个非常敬重祖先的国度，比如说编草鞋的祖师爷

是刘备，木匠的祖师爷是鲁班。可以说，各个行业都喜欢找祖师爷。那么，互联网有没有祖师爷？有，这个人叫蒂姆·伯纳斯·李，是英国著名计算机科学家。他在20世纪90年代发明了万维网。

按照正常思维，当一个人有一个发明创造之后，首先应该申请专利。比如贝尔发明了电话之后，他立刻就申请了专利。要知道，就在他提出申请两小时后，也有人要申请电话专利，而晚一步的那个人最后什么都没有。但蒂姆·伯纳斯·李发明了万维网，却没有申请专利。

2004年6月15日，芬兰技术奖基金会授予蒂姆·伯纳斯·李全球最大的技术类奖"千禧技术奖"，奖金100万欧元。这是他到目前为止得到的最大的一笔收益。当时他49岁，他也是这一重要奖项的首位获得者。"千禧技术奖"，足以说明他的这项技术对人类的影响之深远。在发明万维网近15年之后，他获得这个重量级奖项，可谓实至名归。

伯纳斯·李是一个非常开放的人。在他之前，没有什么浏览器，也没有什么语言文本，更没有什么"WWW"、URLs，整个网络世界是一片空白。发明万维网之后，很多人劝他申请专利，他却拒绝了，理由是："我发明万维网的初衷就是希望很多人，很多工程师能够借助这种网络平台彼此相互交流。"原来，工程师如果要交流，需要到一起去聚会，非常麻烦。有了这种网络，大家就可以跨区域地交流。

他就是为了便于交流，才发明了万维网。他认为既然自己创造这项发明，是为了方便人类交流的，那就不能把它据为己有。"如果我把它申请为专利，将来谁还能在互联网方面有更多的创造？难道每次别人申请专利的时候，都跟他们说对不起，说他们的专利里面某一页某一行触犯了我的技术，他们不能申请，必须打回去吗？如果这样做，肯定会阻碍人类互联网进程十年、五十年乃至一百年"。他不愿意阻碍人类的进程，所以愿意把它免费拿出来共享。

如果当年他把"ＷＷＷ"注册成为自己的专利，今天我们用的每一个网站都跟他交费的话，想象一下他会有多少钱，肯定早已是世界首富了。他放弃了成为世界首富的机会，却默默地改变了世界。

基于这一点，互联网从诞生开始，就有了一个基因。这个基因就是——开放和共享。这使得互联网有免费产品的存在，比如互联网公司提供的基础服务很多是免费的。我们用邮箱有没有交钱？用百度搜索有没有交钱？看新闻有没有交钱？都没有交钱，几乎都是免费的。因此，不管做任何事情，一定要懂得开放和共享。

可以说，干得大的互联网企业，一般是开放和共享的企业；做得不好的一般是不懂得开放和共享的企业。所以说互联网思维的第一个基础就是开放和共享。

做金融也是一样，如果我们要做互联网金融，一定也要懂得开放和共享。比如说你的网站有一些数据，其他网站也有一些数据，如果大家都把数据各自封锁起来的话，我们就不能精准地判断一个人的信用。如果大家都把数据开放出来做共享，我们就可以得到更多的信用记录，根据这些数据做出的判断就更精准了。

网站将自己的一些信息共享，这样就可以被百度抓取到，百度也对这些网站给予了回馈，即为它们带来了流量。这就是彼此开放带来的互利互赢的价值。

2. 互联网思维第二个核心：非生产、平台思维

什么是平台思维？互联网本身一创建，它就是一个交流的工具，一般自己不生产。即便是做得比较大的，也不像其他领域、其他行业的企业那样自己从事生产。

比如中央电视台这样的大媒体，所有的信息都是自己生产的。他们有自己的采编、记者、主持、编导等很多人。而类似的新浪网却远没有这么多人，他们绝大多数的信息都不是自己生产的。

再比如优酷中的《罗辑思维》《晓说》等很火、很好的节目，

也都不是优酷自己做的。他们的思维都是"我把台子搭好，你们再来唱戏"，往往自己不生产。

很多大品牌、大企业往往只是线下做得好，线上都做得不太好，因为它们都不注重平台思维。但是，谷歌是平台，百度是平台，阿里巴巴是平台，京东是平台，微博是平台，微信是平台，这些做得好的都是平台。所以在互联网领域创业一定要做平台。

很多人问我："我自己有一个创意非常好的点子，或者有一个非常好的产品，我想在互联网领域里做，能不能做？"我的回答一般都是："不好做。你如果想做，只有两种思维可以做。第一是你自己建一个平台，第二是你进入别人的平台。如果这两种思维都没有，那么你只有一个结果，那就是死路一条。"

有一家名叫51Talk的公司，是由几个清华的学生创建的，我非常佩服。他们致力于提供一对一的英语教育服务。但是他们把格局放大了一些，跳出了中国的范围。东南亚的马来西亚、印尼、菲律宾，这些国家很多人都讲英语。所以他们做了这个网站之后，不是让中国人教中国人，而是请外教来教中国人，比如菲律宾人。为什么用菲律宾人？因为他们的英语水平比较高，工资相对便宜。

利用互联网，他们在菲律宾当地而不用出国就能教中国人说英语。如果按一节课25分钟算，工资也根据老师的水平给

15~30元不等。就算按一节课15元，一小时至少也有30元，一天工作8个小时就有200多元。每个月如果休息8天，干22天，那一个月就可以赚到5000元了。5000元人民币在菲律宾就算高工资了。

反过来说，这对于我们中国人也有很多实惠。因为就算你不会背单词，没有英语基础，什么都不会，每天花几十元钱跟老外泡一个小时，一年之后你也多少会说些英语了。

当我知道这个网站之后，我让所有员工都去体验了一下，而且我每次上课觉得好的老师也都介绍给我的学生。我的学生去体验了之后，都反馈说效果非常好。可见在互联网时代，没有必要花好几万、十几万给线下的英语培训机构，而可以用很少的钱就能享受到很好的服务。

当然，这是比较低端的。还有一个网站VIPABC，这里有来自全球超过60个国家、80座城市的3000多位外籍顾问可供选择，价格就要相对高一些。但我们不妨想想，如果美国人教你说英语，在中国上课一小时至少收你10美元，在这里你除了随时随地学习量身定制的课程，还能了解美国的风土人情。

所以要想做好互联网，一定得抱着做平台的思维，一定不要想着自己干。凡是觉得成功靠自己的，一般都不太可能有大成就。高手往往都是靠别人帮助获得成功。

当年刘邦还说："夫运筹策帷帐之中，决胜于千里之外，吾不如子房。镇国家，抚百姓，给饷馈，不绝粮道，吾不如萧何。连百万之军，战必胜，攻必取，吾不如韩信。此三者，皆人杰也，吾能用之，此吾所以取天下也。"这三个人都为他所用，他靠他们打赢了仗，创立了汉室江山。所以，古往今来所有人的成功，一定不是仅仅靠自己，没有一个人单打独斗就能有大成就的。

如果一个老板底下有一群虎将，百分百能成事；如果一个老板底下没有虎将，不一定成得了事。成功都需要仰仗别人，做平台也是一样。如今的互联网大佬们，比如马云真的懂互联网吗？李彦宏真的懂搜索吗？刘强东就一定懂电子商务吗？不一定。但他们有格局、有互联网思维，他们可以让别人来干。

身处这个时代，你可以不从事互联网，但是你不能不具备互联网思维。互联网就是一个大家相互成就的地方，比如原来你想找一样东西很难找，现在只要会搜索，在百度里一搜就能搜到，很多人会免费共享出来。很多人开网站卖东西，最后营业额还不如在天猫里卖的多。为什么？因为他们不具备平台思维。

要么自己搭建一个平台，要么借助别人的平台。当然，最好能自己搭建一个平台。

3. 互联网思维第三个核心：简单、极致

互联网发展的速度非常快，也非常不稳定。所以做任何事，你都需要一下子就跟别人讲明白，不能搞得太复杂。以前商界的人常说："复杂的事没好事，复杂的人没好人。"如果有人跟你说，他们的商业模式很复杂，是找学者或教授花了很长时间才设计出来的，那么他一定是骗子，是骗你钱的。因为真正的好模式一定很简单。

比如百度是做搜索的，当当是卖书的，京东是卖电器的，聚美是卖化妆品的，凡客是卖衣鞋的，都极其简单，一句话就说明白了。当然，这并不是绝对的，只是顾客对它们形成的一种认知，也就是顾客在心里给它们的代名词。

hao123这个网站，我们都很熟悉。它是百度旗下的一个网站。总结来说，百度收购的不是hao123的产品，而hao123的"首页权"。2013年，hao123一年就给百度赚了20亿元。因为它的流量超大，它首页里的广告费就是一个巨大数目，从10年前一个广告位几万元到现在一个广告位几百万元，所以一年20亿元对它来说轻而易举。

做这样一个网站需不需要很高的技术？其实技术上是非常简单的。它的成功不在于技术，而在于始终致力于为用户提供最简单、最极致的上网导航服务。

在互联网领域要记住，一招鲜吃遍天，其中有很多极其简单的招数。比如现在很火的黄太吉（如图3-1所示），是做中餐的。目前为止，它是我见过的中餐机构里面标准化做得相对不错的一家。

这两年，黄太吉风靡北京。我第一次听到黄太吉案例的时候，就过去吃了。我去的是建国门那边的一个门店，大概只有20多平方米。我去的时候还得排队，店里只有四五张桌子。

其实黄太吉主营的就是煎饼果子套餐，一个套餐卖一二十元钱。除了煎饼果子，还有豆腐脑、油条、豆浆，它们被誉为黄太吉的"四大金刚"。

黄太吉只有几家店，简单核算一下，累计不到100平方米的营业面积，却有人估价估到4亿元，也就是说，一平方米值几百万，对于一般企业来说，简直想都不敢想。

黄太吉改写传统美食的新传奇，北京城里难得一见的地道煎饼果子，现吃现炸的无矾手工油条，独门秘制的醇厚卤汁豆腐脑，现磨醇豆浆为本店四大金刚！再配有赫氏风味大卷饼和源自成都的麻辣凉面与麻辣烫，让传统美食焕生新容。

图 3-1 风靡京城的黄太吉

仔细分析一下，我们就会发现其实黄太吉玩的就是简单思维。"我不搞那么多，我就主打煎饼果子"，却是极其用心的。

所以，互联网思维的第三个核心是简单极致，也就是"一招做到极致"。比如他们做的豆腐脑让你感觉像鱼翅、燕窝，这就是做到极致。

我有一位湖南的学员，之前是做垃圾筒的。他在网上卖垃圾筒，一年营业额有好几亿。可能很多人都没听说过，也不太相信。他可以说是一家独大，一般都是工程采购，以团购为主，零售往往还不卖。

再比如卖成人用品的"90后"马佳佳，她靠着互联网传播，市场也做得非常大。小米公司有一位"90后"员工离职后，自己创业生产出一款安全套，叫大象安全套。

大象安全套将"在用户发现自己的需求之前就满足他们的需要"做到了极致。

● 外包装是看起来符合极简主义的鲜绿色方盒。每盒内有7枚安全套，正好满足典型用户一周的用量。

● 包装盒可以单手打开，这样就可以让人在亲密时刻腾出另一只手做更重要的事。

● 每个独立包装上都采用的"黄油保鲜盒"设计，可以令用户在不开灯的情况下便能够知道正反面。

● 大象安全套在马来西亚生产，加了 30% 的油，双倍润滑，据说这个特征很受同性恋用户欢迎。

2004 年，官方公布处于性活跃期的中国男同性恋恋者就有 500 万至 1000 万人，这个市场够不够大？

为什么要有简单、极致思维？我们简单分析一下，如果你用互联网思维将企业产品做到极致，全中国哪怕只有万分之一的人是你的客户，那你的客户也有十几万人呢。这十几万人，你每个人赚 10 元就是 100 多万元了。所以做到极致，怎样都能赚到钱。

4. 互联网思维第四个核心：体验、诱惑

体验、诱惑思维也叫吸引思维。吸引思维也是颠覆很多老板传统的思维。很多老板做业务就是喝酒、桑拿一条龙服务，但是互联网领域，别人有机会跟你喝酒吗？能见面吗？能打电话吗？不一定。有的人可能电话营销能力超强，但在互联网领域是人家主动联系你，而不是你联系他。传统的销售往往是推销，找别人，而互联网时代是"钓鱼"，让别人来找你。

在互联网时代，我们一定要了解的一个概念是吸引。我们要学会去吸引别人、诱惑别人，而不仅仅是推广。

很多产品经过互联网专家包装之后，效果就会大不一样；同样一张照片经过处理之后，效果也会大不一样。一个没有吸引力，一个有吸引力。再次强调，我们要想尽一切办法去给予别人诱惑，而不是推销给别人。

很多老板为什么做互联网做不好，因为他们还用老的那一套去介绍自己，而别人对"你是谁，你的产品怎么样"一点都不感兴趣。

我们要了解别人，要站在客户的角度思考问题。比方说，在杭州有一次搞拆迁，一个老太太死活都不肯走。因为老太太嫌给的房子太小，给的钱太少，就是不搬。于是政府派了一拨又一拨的谈判专家来，结果这些谈判专家根本进不了门，一到门口，老太太就直接泼水把他们赶出来了。

后来实在没办法，政府又换了一个营销专家过来。这位专家连门都没进，站在门口大声喊了三个字，老太太立马就跑了出来。哪三个字？其实特简单，就是"着火了"。营销专家站在老太太的角度，想象如果自己是老太太，怎样才会出来。

这个案例也许不太合适，只是想借此说明：我们做企业也是一样，一定要站在客户的角度去思考问题，满足客户内心的需求。这一核心思维，也是乔布斯一直信奉的"追求极致的用户体验"。

5. 互联网思维第五个核心：快

为什么要快？因为在互联网领域，别人模仿你很容易。在传统领域里，出名可能需要很长很长的时间。但是在互联网领域里，凤姐出名，芙蓉姐姐出名，好像都是一夜之间的事，传播的速度非常快。网络红人就是一种典型产物。

企业要想站稳脚跟，也必须适应互联网的这个节奏，一定要快，否则别人就会模仿你，抢你的饭碗。

6. 互联网思维第六个核心：颠覆

为什么要颠覆？互联网不仅有着简单极致的前提，还有一个非常重要的观念，就是只有第一，没有第二。在互联网领域中，如果别人成为第一名，你再去竞争，基本上就没有机会了。

比如搜索引擎"老大"百度已经在那里挡着了，你如果还要做搜索引擎，并希望迅速发展壮大、大有可为的话，可以说是一种妄想了。

在互联网思维里，别人做到极致之后，你再插进来根本就没有机会。只有第一，没有第二。要想生存，必须颠覆旧有的，才能找到新的出路。

/ 传统行业，互联网在踢门 /

1. 互联网只认超越，不认抄袭

现在有很多在北京做风投的人，他们在考察互联网项目的时候，一般都会看其是不是有"三防"。哪"三防"呢？答案是防祸、防盗、防腾讯。防祸就是网站不能出现负面信息，防盗就是要保证数据安全，防腾讯就是能抵御腾讯的模仿。

在互联网领域，如果你提出一种新的商业模式，跟风投沟通之后，风投最后往往会问你一句："腾讯如果模仿你，你怎么办？"你如果说有对策他可能会给你投资，你如果说没对策他肯定不会给你投资。为什么？因为有很多血淋淋的教训。最典型的是开心农场发明了偷菜游戏，可现在还在吗？大家都在玩QQ农场了。腾讯的风格就是"走别人的路,让别人无路可走"。它一家独大之后，别人往往毫无机会。

中国的互联网行业也正在走向垄断，比如阿里巴巴就收购了很多企业，像高德地图、新浪微博、虾米网等。

原来中国企业的发展主要靠三驾马车，分别是铁路、公路、基础建设，民间笑称"铁公鸡"。现在人们聊到未来时会说，互联网的发展也靠三驾马车，分别是马云、马化腾、马明哲。当别人做到极致之后再去竞争，根本就没有机会。没有机会我们怎么办？没有机会我们就不竞争了吗？当然不是。我们的思维是让竞争没有必要存在，直接釜底抽薪。压根就不跟对方竞争，使其产品没有存在的必要，这就叫釜底抽薪，也就是颠覆思维。

苹果有没有跟诺基亚竞争？没有。苹果手机弯道超车，直接把诺基亚颠覆了。苹果的策略就是，"在手机行业，我让你根本没有必要存在"。这比竞争还狠，直接断了对方的活路。这就是颠覆，也是"极致时代"下的唯一出路。

2. 互联网正在颠覆一切行业

最近几年,互联网已经颠覆了很多的行业。比如教育行业，早先的51Talk，以及欢聚时代推出的新品牌"100教育"，都在很大程度上颠覆了教育。

现在我们很多人都在努力布局，努力往前走，但这样往前走的时候，最怕对手不是从前面过来，也不是从后面过来，而是从侧面过来。因为很多时候这种侧面打击都是一种颠覆。我们永远要记住，在互联网领域里，不管你干什么，永远不要跟人去争，应想着如何去颠覆。

百度未来会不会消亡？我想，百度未来一定不会被人直接通过竞争打败，但它很有可能会被颠覆掉。西方正在研究一种新的搜索方式，叫立体搜索。现在百度的信息都是平面的，如果将来出来一个立体搜索的话，那百度还有存在的必要吗？完全没有了。

小米手机有没有跟金立手机竞争过？传统的手机行业营销都是切割，比如有的说自己能超长待机，有的说自己的信号好，还有的说自己的音乐是环绕立体声，所有这些全是在一个市场上去切分，把一个大饼切成很多块。但是小米是怎么营销的呢？它完全不切这块蛋糕，它想的是"算了，你们一起抢的那个饼不好，我再搞个大饼"。这种思维就是颠覆思维，它完全没跟金立手机直接竞争，而是直接进行颠覆。

未来，微信也可能会被别人颠覆，但一定不会是被别人竞争打败的。

在互联网领域，我们要靠创新去颠覆别人。互联网从诞生的那一天起，一直走到现在，只奉行一种哲学，那就是"不创新，吾宁死"，即宁可死在创新的路上，也不要被别人变革掉。

俞敏洪曾对公司的高管说："新东方必须要变革，我们如果不变革，就可能被吃掉。与其被别人变革掉，倒不如自己先变革。"比如51Talk曾对新东方形成很大的冲击。再如欢聚时代，欢聚时代在网上做了一个软件，在这个软件上一个人可以同时教几十万人学英语。它可以一节课花10万元请全世界最好的老师来教，甚至有时候你来听课，它不但不收费，反而能给你带来收益。

如果你也是做在线教育的，遇到这样的对手，你怎么办？

近些年有几百家公司做打车软件，时至今日已经所剩无几，但留下来的几家因为被巨头投资而做得风生水起。那些被淘汰的，很多并不是因为自身不够努力，而是因为对手实在太强大了。而剩下来的几家之所以还能继续发展壮大，就是因为它对整个打车行业来说，可谓横空出世，适应了市场需求，对传统出租行业是很大的颠覆。

比尔·盖茨有句名言："微软离破产永远只有18个月。"当我们在往前走的时候，随时都有可能有人出来挡着我们的路，所以必须时刻警惕、保持清醒。马云曾说"我就是拿着望远镜看也找不到竞争对手"，现在他还敢如此狂妄吗？

"不创新，毋宁死"。让我们用颠覆做好互联网金融，让我们凭创新横行世界！

互联网金融的"六脉神剑"

银行有三个最基本的功能：第一个是存钱，第二个是贷款，第三个是转账汇款。就目前的观察来看，在互联网领域，这三个功能可能还没有人或者机构能够完全取代它们。不过马云推出了一个可以存钱的余额宝，一个可以转账的支付宝，以及一个可以贷款的阿里小贷，并且还在逐步增加和完善很多功能。互联网金融未来会不会将银行淘汰掉？

　　互联网和金融结合之后，延伸出了很多互联网金融的"门派"。总的来说，可以分为六个方面，也就是所谓的互联网金融的"六脉神剑"。

/ 支付结算：第三方支付 /

支付结算是一个典型的创新产物，而且它对整个人类的发展也做出了非常重要的贡献。美联储前主席保罗·沃尔克曾说："银行业唯一有用的创新就是发明了自动取款机。"当初，在全世界遍地开花的 ATM 机的确给我们带来了很大的方便，通过它，随时随地取款成为现实。

原来我们去商店买东西，商家只能收现金。如果没有钱怎么办？只能带着银行卡去 ATM 机取。所以有时候去某些商店买东西，还要先看一看带没带够现金，否则买个金额稍大的大件，就得再跑去 ATM 机取现金。如今 POS 机已经基本覆盖了大城市，小城市的大型商业机构也比较常见。在很多地方，连 ATM 机也不需要了，都被 POS 机或者手机等移动支付取代了。

互联网的第三方支付，基本由两个比较大的板块构成。第一个板块是在线转账。比如支付宝就属于这一类产品。第二个

板块则以 POS 机为主，像拉卡拉、快钱、汇付天下这一类的
POS 机支付都属于移动互联网支付，就是每一个 POS 机背后都
有一个手机号，没有手机号就不能联网。

如今，商业银行的金融中介角色渐渐弱化，一方面是由于
互联网技术降低了信息获取成本和交易成本，分流了商业银行
的融资中介服务需求。在融资过程中，一个主要障碍是资金的
供求双方无法及时有效地沟通资金供求信息。作为经济生活中
最主要的金融中介，商业银行一直以资金供求的信息汇集中心
的角色而存在。互联网技术的发展，尤其是 Facebook 等社交网
络的出现，改变了信息的传递方式和传播途径，为金融交易储
备了大量的信息基础。

另一方面是因为互联网技术改变了支付渠道，严重冲击了
商业银行的支付中介地位。作为支付服务的中介，商业银行主
要依赖于在债权、债务的清偿活动中人们在空间上的分离和在
时间上的不吻合。互联网技术的发展，彻底打破了时间与空间
的限制，因而在相当程度上冲击着商业银行的支付中介地位。

比如今天我有一万元要转给你，如果我是工商银行的客户，
你是建设银行的客户，正常情况下我要把我的一万元从我的账
户里转到工行，再通过工行转到建行，然后再从建行转到你的
账户中，这就需要至少三个步骤。而且这还属于跨行，银行需
要收取额外的手续费。

但是如果用第三方支付，跨行转账就可以不收手续费。我们知道同行转账是没有手续费的，第三方支付就是利用了这个便利。比如阿里的支付宝，它在很多银行都有开户。假设工行的 A 客户要给建行的 B 客户转账一万元，而它在工行和建行都开了户，A 客户将其工行里的一万元转到支付宝的工行账户，支付宝就可以从其建行的账户中划拨一万元到 B 客户的账户上。这样，原本两个银行之间的转账，通过第三方支付就转变成了同一个银行之间的转账。

　　你把钱给支付宝，支付宝再把钱给对方，这就是第三方支付。因为没有手续费，而且极其方便快捷，所以支付宝的用户越来越多，这也体现了互联网金融是一种普惠金融，让老百姓享受到利益，让老百姓不花不该花的钱。

　　比如对我而言，支付宝每年会为我省下几千元的手续费。虽然我平安银行卡、招商银行卡都是比较高端的，基本上转进转出都不收手续费，但有时候也还是会需要在其他银行进行转账，这时候支付宝就能派上用场。这就是第三方支付为我们带来的实际好处。

　　很多人非常崇拜马云，我觉得真正改变马云这一辈子的，是他学了英语，做过英语老师和翻译。而且他做翻译的时候，还跑到美国帮别人追债。那时候大部分人都不会说英语，但是他会。所以他有机会在 20 世纪 90 年代的时候，在美国接触到了互联网，然后把互联网带入中国。其实马云做的很多事情并不都是他原创的，比如支付宝，它就有借鉴全球最大的电子支付平台 PayPal（贝宝）。

PayPal 就是第三方支付的鼻祖，是全球最大的电子支付平台，其创始人叫埃隆·马斯克。美国电动车著名品牌特斯拉（Tesla）的创始人也是埃隆·马斯克。他的成就还远不止如此。《时代周刊》评论说："乔布斯改变了我们的生活，而埃隆·马斯克改变了一切！"《财富》杂志评价说："他是史上最富有激情、传奇、未来感的企业家。"

赚钱一定要赚未来的钱，而不是现在的钱。马斯克曾坦言他的改变源自他读大学的经历，当时他就在想人类在未来会过什么样的生活。他认为未来一定会是互联网的世界，未来一定是清洁能源的世界，未来人类一定会走向太空，过着一种星际间的生活。所以他一定要活在未来，而非活在现在。

埃隆·马斯克先与人合伙创立了 PayPal 这个第三方支付公司，后来以十几亿美元的价格卖掉。赚钱之后，又迅速投入到他后面的几个公司的创办与发展中。一个是太阳城发电公司 SolarCity，主要做太阳能的；一个是火箭公司 SpaceX，是全球首个成功发射火箭的私人火箭公司。SpaceX 尽管是太空发射领域的一家小公司，但凭借一流的创新技术，获得了

NASA16 亿美元的合同，为 NASA 承担 12 次太空发射任务。2012 年 5 月 25 日，SpaceX 发射了一枚两级火箭，将一艘名为龙飞船的太空飞船送向国际空间站 (ISS)，更是开启了太空私营化的时代。

《钢铁侠》这部电影想必很多人都看过，其导演曾说过"在将漫画英雄人物、制作了飞行盔甲的花花公子发明家托尼·斯塔克搬上大荧幕时，我头脑中想到的人物原型就是马斯克"。

马斯克创建的这四家企业，PayPal、SolarCity、SpaceX，以及 Tesla，每家企业都是世界级的顶尖企业，都是改变世界的企业。他和乔布斯一样，活着就是为了改变世界。这就是互联网思维的颠覆思维，"我不跟别人竞争，我只做别人做不到的事情"。

网上有人这样评价道："萧伯纳有句名言：'理智的人让自己去适应这个世界，而疯狂的人坚持让世界去适应自己。'这样看来，马斯克真是一个无以复加的疯子，任何天马行空的想法都可能被他变成现实。这个疯子将来还会创造多少奇迹，我们不得而知。但正是因为他以及他根本停不下来的梦想，世界才被惊世骇俗地改变了。"

2003 年 10 月淘宝网推出支付宝，2012 年用户过 8 亿；

2013 年第一季度，支付宝占中国互联网支付市场的 46.3%；2013 年天猫"双十一"期间，支付宝成交金额高达 350.19 亿元。2014 年天猫"双十一"期间，支付宝成交金额再创新高，达到 571 亿元，无线成交 243 亿，占比 42.6%，共有 217 个国家和地区成交订单，包裹数达 2.78 亿。

财付通是腾讯旗下的在线支付平台，于 2005 年 9 月推出，注册用户超过 2 亿，日均交易 12 亿元。其交易额也相当可观。任何企业都希望能够超越竞争对手，目前财付通也在布局，其下一步的发力点会有以下两个：第一，跟 QQ 绑定，第二，跟微信绑定。未来第三方支付市场里，支付宝会继续排行老大吗？

在互联网领域，任何时候都是不创新一定没有市场，创新就一定有市场。如果想在互联网领域里做第三方支付的话，在商城领域，目前机会已经不是很大。但如果你有创新，做创新性的商城，也还是可以做第三方支付。相比商城，POS 机的第三方支付，目前机会还非常大。

POS 机是第三方支付的主要形式。2013 年中国整个第三方支付的市场市值就达到了大约 12 万亿人民币，其中有 6 万亿元都是靠 POS 机来支付的，剩余的 6 万亿元则来自互联网的转账。这 6 万亿元的 POS 机支付额给银行贡献了多少收入？绝对是一笔不菲的收入。事实上，它跟我们每一个人都有着密切关系。我不知道你有没有从这里面赚到钱，但是我保证你一定给它贡献了钱。比如我们买东西的时候肯定都刷过银行卡或者信用卡，这个刷卡的手续费的 70% 都是要被银行拿走的。所以我们至少给银行贡献了手续费，但支付宝网上转账是不收取费用的。我相信，第三方支付市场未来会非常大，而且会越来越大。

我上金融课的时候经常会跟学员说："如果你没有 POS 机，建议一定要办个 POS 机。"

POS 机的市场超级大，2014 年我在几个月的时间里，就见过好几十个小品牌的 POS 机。如今很多行业都流行送 POS 机，包括我自己也送给过朋友和客户。

第三方支付的市场是非常大的，比如拉卡拉手机刷卡器，就是一种无须网银的个人刷卡终端，主要提供信用卡还款、转账汇款、在线支付等便民生活便利支付的金融服务，支持 iPhone、HTC、小米等各类主流手机以及 pad 产品。如果未来每个中国人都人手一个手机 POS 机的话，我们可以想象一下这个市场会有多庞大。

前文提过，在互联网金融时代，最具颠覆性的思维和商业模式是"羊毛出在猪身上，让牛来买单"。如果你很有人脉，也很有资源，你可以自己生产 POS 机，你也可以找一些大的机构代你生产，贴你的牌子，然后你可以从中赚取一部分利润。这个市场 2013 年就已经达到 6 万亿元了，今后这个市场还会越来越壮大。

原来你兜里可能经常要装一两千元现金，因为你担心如果买个稍微贵点的东西钱不够，但是现在在绝大多数一线城市的商家都有 POS 机了。别说商家了，我的很多朋友都随身带着 POS 机，买了东西直接刷卡。现在经常会看到这样的新闻报道，小偷持 POS 机入室抢劫，当场验证银行卡密码，将卡里的钱全部取光。这也从侧面反映 POS 机的普及应用程度。未来用现金的人肯定会越来越少，而多转为直接用 POS 机或手机转账支付。

/ 网络融资 /

互联网金融的第二个比较大的"门派"叫"网络融资",网络融资又分为三个部分。

1.P2P贷款

P2P(peer-to-peer lending),即点对点信贷。P2P贷款主要是通过网络平台的中介机构来完成的,市场非常庞大。如何从中分取一杯羹?有两种方法。第一是你自己去投资,第二是你可以自己想办法建一个 P2P 平台。

我觉得目前在中国,P2P 市场拥有巨大的商机。中国有很多地级市都还没有 P2P 平台。这就是为什么我主张很多人自己建 P2P 平台,包括我自己在内也在做,同时也帮助很多企业在做。在中国,有太多有智慧的人。人有智慧和没有智慧是有区别的。如果一个人脑子里面能同时存在两个相反的观念，而且这两个观念还能在他大脑里和谐相处的话，那他就是一个有智慧的人。比方说左脑想着要去东边，右脑想着去西边，这两个观念如果能在你大脑里和谐相处，你就叫天才。

经营 P2P 市场，同样也是需要智慧的。P2P 是一个比较具有特色的市场，如今，国家表明了鼓励互联网金融创新的态度，并在政策上对 P2P 网络借贷平台给予了大力支持，使得很多大公司纷纷进入 P2P 市场，不少业界人士也非常看好 P2P 市场。

P2P 是一个非常好的新兴商业平台，它能够提供很多机会。比如，你想在银行里面理财，5 万元以下，很多银行是不接收的。但在很多 P2P 平台放 100 元，它们就可以接收。中国目前只有少数 P2P 平台的一些理财产品起投金额较高，比如陆金所、人人贷等。当然它们也有起投金额低的产品。一般的 P2P 平台门槛比较低，100 元甚至更低金额就可以。

对于普通老百姓，有闲钱的话可以考虑放到 P2P 平台中去。一般情况下，那点小钱放在银行几天取出来的话，可能银行就不给我们利息，但是把这些钱放到 P2P 平台里，每天都可以产生收益。

银行是企业，既然是企业，它就有坏账指标。既然银行有坏账指标，而它又必须要保证坏账率不能太高，所以对企业贷款会非常谨慎、严格。

首先，中小企业基本上很难从银行拿到钱。其次，就算能从银行拿到钱，成本也不是 7% 或 8%，通过综合测算，发现目前很多中小企业从银行拿钱，差不多可以达到 15% 的成本，这是相当高的成本了。而且在很多情况下，就算你接受 15%，从银行也拿不来钱，因为银行大部分的钱都放给了大企业，特别是大型的国有企业，它不愿意放给中小企业。

　　那么，中小企业拿不到钱怎么办？只能想办法从其他地方拿钱，比如从网上贷款，所以 P2P 就提供了这样一个机会。

　　鉴于目前中国市场比较混乱，有人说 P2P 应该走线上的模式，学习美国。美国的 P2P 没有线下的，全部是纯线上模式。那么，中国能不能做？经过考察，很多人说中国做不了，因为中国的征信系统不太完善。那中国做纯线下的行不行？貌似也不太好，因为做纯线下，借与贷的匹配率也是很难保证的，首要的问题就是拿钱比较难，成本也比较高。

　　就目前来说，真正要想做好 P2P，一定得采取 O2O 模式。O2O，就是线上加线下，线上主要是以拿钱为主，吸引人把钱投到平台上。然后在线下做风险控制，做放贷，做客户的筛选。总之，在中国发展 P2P，一定不能是纯线上模式。

　　我们前面在谈互联网思维的时候讲过，每一种互联网金融模式发展一定是非常快速的，而且是带有垄断性质的。如果采用纯线上模式，最后必然只有一个结果，那就是一家独大。所以纯线上模式在中国行不通，还必须加线下模式。

那么，我们在P2P市场中还有没有机会呢？当然有机会。尤其当在一个一线城市以外的地方，潜在的P2P市场还是很大的。如果做得好的话，未来每一个地级市，做到几百个亿的市场都是很有可能的。很多目前做小贷的、做担保的，等等，他们都很容易进入这个领域。

2013年被誉为P2P的元年，当然也有说是互联网金融的元年。2013年的整个中国P2P市场，可以用四个字来形容，这四个字就是"野蛮成长"。什么是野蛮成长？就是快得不能再快了。现在，如果你再做P2P的话也还有一些机会。当然，前提是采用O2O，纯线下的机会已经不大，纯线上的机会也不大了，线上加线下，才有可能成功。

做P2P平台，有两条红线是绝对不能触碰的。

第一条红线：一定不能建资金池。

比如A在你这里投了钱，B也在你这里投了钱，你不能拿着A的钱不放出去，然后拿A的钱直接给B支付利息，这种行为就叫建资金池，是不允许的。

第二条红线：一定不能非法集资。

非法集资是指单位或者个人未依照法定程序经有关部门批

准，以发行股票、债券、彩票、投资基金证券或者其他债权凭证的方式向社会公众筹集资金，并承诺在一定期限内以货币、实物以及其他方式向出资人还本付息或给予回报的行为。

P2P平台也绝对不能非法集资。

2. 众筹融资

俗话说，"众人拾柴火焰高"。这里的"众人拾柴"，就相当于时下炙手可热的众筹。众筹就是一个人不足以干的事情，让大家一起来做。

我参与的众筹项目已经很多了，前几天还刚发起了一个众筹项目，到目前为止已经融了差不多10万元了，我们的计划是融到50万元，基本上不会有什么问题。

云南的一所小学需要建图书馆，但建图书馆可能需要好几万，学校没有那么多的钱。如果一个人捐四五万元，我觉得相对来说是有难度的。但是如果每个人捐100元，10个人就是1000元，100个人就是1万元，四五百人捐，这一个图书馆的钱就齐了。在网上找四五百个人其实非常容易，这个项目就是我们通过众筹来捐资的。我的孩子也捐助了钱，他才5岁半，是用自己卖旧书的钱捐助的。一个人干不起来的事情，大家联合来干，这就叫众筹。

3.电商小贷

"电商小贷"就是电商给自己网上的一些客户做贷款。比如阿里有阿里小贷,京东有供应链金融,敦煌网等也都有一系列的类似贷款。那它们为什么做这些事情?目的就是帮助自己的商户去贷款。阿里巴巴的淘宝上有很多数据,天猫上也有很多数据,客户每天卖多少等都一清二楚。

我们不妨想一下,如果一个客户在你的平台上卖东西,量也非常大,他临时急需用钱的话,你可不可以给他贷款?敢不敢给他贷款?你不用担心钱收不回来,因为你知道他每天卖货的数据。这就是电商小贷。

/ 虚拟货币 /

互联网金融还有一个比较大的"门派",叫虚拟货币。大家应该都知道或者听说过比特币,比特币是一种建立在全球网络上的货币,它是一种没有央行参与发行的、数量一定的数字货币,是讲究隐蔽、防信息泄露的虚拟货币。

前段时间很火的"V宝",其实也属于虚拟货币。有一次在湖北开课的时候,就遇到有学员买了"V宝"。他投了5万元,结果不到半个月的时间就赚了5万元,投资回报率很高。

互联网金融有很多新兴产品,仅虚拟货币就有很多种,比如Q币。

/ 渠道业务 /

互联网金融还有一个"门派"是渠道业务,比如金融营销。原来很多基金、债券等金融理财产品都是在线下靠业务员来卖,但现在基金都是放到网上去卖。

比如有一家叫"91金融超市"的网站,是中国最大的互联网金融服务平台,也是首家被央视新闻报道的互联网金融企业。它是在线金融产品导购和销售平台,通过电脑、手机APP、400电话等通道为金融消费者提供金融产品信息、比较购买推荐、消费决策依据以及直接购买等服务,致力于建立最具价值的金融消费者数据库和最丰富的金融产品数据库,帮助全中国所有金融产品的消费者,用最快速度、最低成本获得最适合自己的金融产品,并且在消费过程中享受到7×24小时、免费、定制化的顾问式服务。

这家网站就是一个非常大的渠道,关于保险、金融、P2P等项目一应俱全,相当于金融领域的门户网站。

/ 金融互联网 /

互联网金融领域还有一个重要概念，叫作"金融互联网"。所谓的金融互联网，一般是指银行、保险、基金、证券、信托等传统金融的互联网化。通俗地讲，就是以银行为代表的传统金融机构，把他们的业务搬到互联网上。

比如转账汇款，原来是靠 ATM 机或者去银行的柜台办理，但现在用网络就可以解决。所以，现在很多银行也在不断改变，原来申请信用卡需要业务员找你或去柜台办理，但现在客户自己在网上就可以直接申请了。

有一次，一位学员在我的课上直接就申请了信用卡。他是在湖北襄阳听的我的课，他家在十堰。听完课之后回家，结果他人还没有到十堰，他新申请的信用卡已经放到了他家的桌子上。原来办信用卡，至少需要半个月的时间，但现在通过网络，两天就办好了，这就是金融互联网的典型表现。

现在有越来越多的银行，把越来越多业务都搬到了网上，因为这样不仅能为客户提供方便，提高客户满意度，而且也能大幅提高其自身效率，节省大量的运营成本。

金融互联网主要有两个比较重要的部分。

第一，网上银行和手机银行。

在非洲，一些消费者也许没有鞋，却拥有手机，手机和移动支付的普及超乎想象。全球最常使用手机钱包的国家3/4 在非洲，最成功的则属肯尼亚M-PESA。

肯尼亚的金融互联网做得非常好，它的移动银行服务M-PESA，是移动运营商主导下的手机银行。这项服务可以通过手机短消息便捷地支付、转账、兑现等。

为什么他们能够把手机的移动互联网做得这么好？很重要的一个原因是他们的银行业不发达，而移动银行的成本比传统银行零售成本低一半左右。而银行传统上主要服务于高价值客户。对这类客户来说，M-PESA 提供了一种更方便或更安全的客户服务。而且，M-PESA没有放弃偏远和贫穷人群，而是把他们当作主要的用户，为低收入客户提供了更多的价值。也就是说，偏远地区的用户通过手机就可以非常便捷地操作一些常用的金融服务或进行交易。

第二，大数据金融。

实际上，目前很多机构都在布局大数据金融。2013年4月29日晚，新浪宣布阿里巴巴通过其全资子公司，以5.86亿美元购入新浪微博公司发行的优先股和普通股，占微博公司全稀释摊薄后总股份的约18%。5.86亿美元，换算成人民币就是30多亿。

其实，在过去几年里，新浪微博一直处于亏损状态，马云为什么这么大手笔，把30多亿元人民币砸进去？内行的人都知道，他关注的根本不是新浪微博本身的赢利问题，而是新浪微博背后的强大数据库。新浪微博有着大量的客户，这些数据库如果跟阿里巴巴的数据库做对接，这一合作对阿里巴巴来说就是如虎添翼。

最近这几年，我们的社会生活出现了一系列明显的变化。比如原来我们上网，几乎每个网站都要注册一个账号。但是现在很多网站都可以直接用其他的账号，原封不动地搬过来就可以用，不用再重新申请了，因为这些账号之间彼此已经实现了相互的连接。

因此，无论是互联网金融还是金融互联网，其发展背后都有一个制高点，这个制高点就是互联网思维中最重要的思维——数据库思维。在未来，谁把握着数据库，谁就能占领天下。

大多数人都有QQ号，其实腾讯还有另外一个聊天工具叫企业QQ，很多企业都在用。普通的QQ号可能只能加1000位好友，但企业QQ却可以加10万位好友。如果你有一个企业QQ这样庞大的数据库，里面有10万位好友，那将是无比珍贵的资源。"得数据库者得天下"，而数据库背后连接的是账号，谁得到账号，谁就能赢得天下，成为最终的大赢家。

原来我们有一堆银行卡、信用卡，在互联网金融时代，随着金融互联网的发展，可能只需要一个账号就够了。

/ 其他周边产业 /

做互联网金融，不可忽视其他周边产业。比如金融搜索"融360"，它做的是垂直的金融搜索。"融360"是"互联网＋金融"典型业态，利用大数据、搜索等技术，让上百家银行的金融产品可以直观地呈现在用户面前。

"融360"的模式是"搜索＋匹配＋推荐"。比如，你想借一些钱买房子或创业，可以在其网站上输入贷款用途、金额、期限及个人信息，之后系统会自动在数据库中搜索、匹对，为你找到金融机构的小贷产品，并输出一份相应的银行及其他信贷机构的列表。列表上会呈现银行名称、信贷产品、利率、月供等信息，方便你进行比较和选择。

另外，还有理财计算工具、金融咨询、法律援助等。这里就不详细说了。

互联网金融之众筹

/ 众筹：众人拾柴火焰高 /

众筹，一般指通过互联网方式募集资金。众筹最早起源于美国的一家企业。其创办人中有一位是华裔，刚开始的时候他搞音乐不成功，赚不到钱，之后搞艺术也赚不到钱。后来他就想既然自己拿钱这么麻烦，那能不能搭建一个平台，让很多人来支持搞音乐、搞艺术的人。因为艺术工作者需要经常创作，没有稳定的收入，所以可以让社会上的一些人来支持艺术创作，支持艺术事业。他又找了一些和他有类似想法的人，最后建了一个这样的平台，结果竟然成功了，而且越做越大。

现在众筹在美国已经非常流行，其流行程度大概相当于中国几年前的团购。众筹出现之初的使命，就是通过互联网的方式发布筹款项目并筹集资金，集中大家的资金、能力和渠道，为中小企业、艺术家或个人进行某项活动等提供必要的资金援助。

1. 众筹把垃圾变为资源

提到众筹，我们先讲一个基本观念：在这个世界上有很多东西，在你眼里是垃圾，但在别人眼里就可能是资源。比如每个人都会有排泄物，这些排泄物对于植物来讲就是资源、养料。每个人都会有很多东西，在你自己看来可能一毛钱都不值，但在别人看来却可能价值连城。

假设你家里有八辆车，天天都没工夫开，这些车在你眼里可能不重要，但是对于没有车的人来讲就太重要了。现在有一些人就在用众筹的方式来盘活车资源,怎么做呢？其实很简单，就是一个人有车，但是他不开，他的车反正停着也是停着，而且停在家里还要付停车费，还要做保养。刚好有人在他不开车的时间段有开车需求，那他就可以把车租给对方，对方付他相应的租金即可。

单独一两个人能不能做成这样的事情？显然不太容易，因为不容易找到正好有这种资源和有这种需求的人，不容易配对。但人多了呢？就可以做。众筹的核心智慧，就是要盘活社会资源。

在你眼里不是资源的东西，在别人眼里就可能是资源。如果大家能够把自己闲置的东西拿出来，放在一起就有可能会产生很多新的资源、新的项目，以及新的商业机会。

2. 众筹的理论基础：认知盈余

众筹的理论基础，是被誉为"互联网革命最伟大的思考者"的美国作家克莱·舍基提出的著名概念——认知盈余。这个概念非常重要，一般是指很多人都有闲置的时间、闲置的资源，如果把这些闲置的时间和闲置的资源汇聚起来，就可以有目的、有建设性地从事创造性的活动，做更多更有价值、更有意义的事情。

在互联网，尤其是移动互联网技术日益发展的今天，互联网金融也变得越来越重要。每个人都有很多资源，在过去可能不太好盘点，但是现在就可以很方便地盘点然后加以利用。

比如很多公司都有会议室，但会议室可能一个月只用三五次，所以这个会议室对公司来讲，不用的时候就是空占地的无用"垃圾"，但也有人想开会却没有会议室可以利用。于是就有人在网上建立了一个平台，为提供闲置会议室和需要会议室的个人或组织提供服务。会议室闲置的公司可以在公司不开会的那几天将会议室租给有需要者，收取一定的租金。这就有效地利用了资源。

假如所有人都能把各自闲置资源聚集起来，就能干很多不可思议的事情。

闲置资源里面最重要的一种，就是闲置资金。资金在你这里搁着没用，但在别人那里却可能是救命稻草。你闲置的资金如果临时借给别人用几天，让别人用来做一些事情，就能起到很大的作用或产生很大的效益。我们不是专业的投资人，即便有一些闲置资金想去做专业投资也不会投。如果正好有一个平台能做这些事情，它能通过专业的知识、经验和技能帮我们筛选项目，帮我们做投资，这样我们就不用去扮演投资人的角色，而只需要提供资金即可。

从这个意义上说，互联网金融的确有着普惠的性质，像投资这种原来只有精英才能做的事情，现在普通大众也可以做。只要平台选择得好，即使你不是精英，依然可以进行投资并大获成功。

/ 众筹是筹梦想、筹资源 /

通过众筹，可以让更多有想法、有梦想的人去创业，去造福他人，去为社会创造价值。这也正是众筹模式的诱人之处及其现实意义。

我认为众筹的核心有两点：一是梦想，比如早期成立的众筹公司，它们就告诉你"只要年满18岁，只要有梦想，就欢迎来到我们这里"，所以只要有梦想，就可以参与众筹；一是资源，每个人多多少少都有一些资源，相互一交换一合作就能产生更多的资源，产生更多的价值。

关于梦想和资源，我们可以用一个比较好的案例来诠释一番。西藏拉萨有一家著名的旅馆——达兰客栈。它的成功既有梦想又有资源的因素在其中。

当初两个合伙人毅然把自己的工作辞掉，决定去拉萨开一家客栈。客栈忙着要装修，需要购买一些原材料，这时候其中一个人说："现在装修需要一些设备，反正对于我们来讲，也不需要讲究很大的排场，新的旧的都一样。那我们能不能在网上看看有没有人给我们送点或者捐点，或者是便宜卖给我们一些旅馆可以使用的设备？别人可能用不着的东西，但对于我们来说可能就很有价值。"

于是他们抱着筹物品、筹资源的想法上了众筹网站，在网上发布了这个想法，看有没有人有要扔或者闲置不用的资金或物品，可以供他们这家旅馆利用一下。一开始他们的期望很低，主要是想筹点东西，觉得钱的话能筹1000元左右就不错了。结果网上很多人留言说："我给你把东西寄过去比较贵，不如直接给钱吧。"于是慢慢不断有人给钱，开始有人给20元，渐渐有人主动加到50元、100元、200元、500元。没想到，从发起到结束历时60天，参与者几千人，共筹集资金十几万元，大大超出了他们原来1000元的预期值。

通过这件事情，他们发现想去西藏的人很多。为了回馈投资者，达兰客栈把他们都列为会员，不管是捐物的还是捐钱的，每人都会获赠一张终生的会员卡，而且这张卡可以同时供4个人使用，享受7.2折的优惠。

其实达兰客栈的这种形式就是众筹。通过这种方式，客栈不仅筹到了钱和物，而且也使很多人变成了它的会员，发展了很多潜在客户。如果这些会员去拉萨，很可能就会直接找这家店住宿。因此客栈可以说既赚到了钱，又赚到了客户。那些给客栈捐钱捐物的人，来这里住宿反过来还要说一声谢谢，一般的老板可能想都不敢想。这就是众筹的魅力，让别人给了我钱，还要说谢谢。

为什么这个项目能够成功？客栈的老板认为是满足了人性的需求。几乎每个人都有一个要去拉萨的梦想，也有很多人有一个梦想要在那里开一家客栈。

大多数人都有西藏情结，都有客栈情结，自己虽然去不了，但是有人的梦想跟自己类似，便愿意支持跟自己有类似梦想的人。所以如果一个人跟你有着相似的梦想，你可能也会愿意支持他。而在现实生活中，你想找到跟你有相同或相似梦想的人也是很不容易的。而通过众筹平台，每个人都可以把自己的梦想说出来，这样就比较容易找到跟自己志同道合，有相同梦想的人。

当你发起一个项目后，如果全中国有1万个跟你有一样梦想的人，一人支持你1元钱，你就能有1万元，一人支持你100元，你就能有100万元。这就是众筹的强大力量，同时也是互联网的强大力量。

互联网的一个核心思维叫平台思维。这就是平台的力量，它能够把很多不相识的，但有相同或者类似梦想的人聚集在一起，干一番大事业。如果你将来要创业，不妨尝试一下这种模式。

实际上众筹早已经跟你发生了关联。比如每个人一生当中都会遇到红白喜事，随份子就是比较原始的众筹。假设两个人要结婚，可是家里没有钱，办不了喜事，这时候所有邻里乡亲东家添点、西家添点，在农村这种方式就叫作添箱，就是往他箱子里添点东西。每家给点，众人拾柴火焰高，最后两个人能成为一家子，过上小日子，这就是最原始的众筹。

比如在海上容易迷路，而我们都希望自己在海洋里面不迷路，于是共同捐钱建一座灯塔，这就叫众筹。我个人认为在中国做众筹做得最好的企业是小米，为什么这么讲？因为小米的产品是先销售再生产，这种模式其实就是众筹哲学。这样就不会有尾货，卖多少就生产多少，而传统企业都是先生产再卖，所以尾货多。

在众筹时代，如果大家都用众筹方式来生产的话，这个世界将是一个没有尾货的世界，一个资源高度汇集的世界，一个资源可以得到充分利用的世界。互联网金融可以让这个世界变得更美好。

/ 众筹常见的四种模式 /

众筹常见的模式有以下几种（如表 5-1 所示）。

表 5-1　众筹常见模式

众筹，通过互联网方式发布筹款项目并募集资金，集中大家的资金、能力和渠道，为小企业、艺术家或个人进行某项活动等提供必要的资金帮助。	
股权众筹	以"天使汇""大家投"为代表
债权众筹	国内以P2P形式存在
回报众筹	不谈回报率，以实物、服务的形式体现
慈善众筹	公益活动，与投资无关

1. 股权众筹

什么是股权众筹？比方说你把钱给我，我出让公司的一部分股份给你。我自己也在做这件事情，正在做的一家公司，实际上就是众筹公司。比如我公司想做一个网站，如果你对我的网站感兴趣，你可以给我 1 万元钱，这 1 万元算作入股的一部分股份。值得注意的是，不能超过 200 位股东，如果超过了，就属于违法行为。所以我设置的是，网站只需要 50 位股东，每位股东给我 1 万元，然后这 50 位股东每人分一些股份，并赠送为期 3 天的"记忆管理"课程。这个课程本身价值 1 万元，所以就算项目失败，你也不会亏，因为至少你还上了我的课，有了一定的收获。如果这个项目真的做成了，你还会赚到分红。这就是典型的股权众筹，以"天使汇""大家投"为代表。

目前股权众筹还游走在中国监管体制的边缘，因为搞不好就容易变成非法集资，所以一定要非常小心。

2. 债权众筹

债权众筹，是指投资者对项目或公司进行投资，获得其一定比例的债权，未来获取利息收益并收回本金。通俗地说，就是我给你钱，之后你再还我本金和利息。金蜂财富网、人人贷、拍拍贷等 P2P 都属于这种类型。

3. 回报众筹

回报众筹，是指投资者对项目或公司进行投资，获得产品或服务。这种方式比较简单，没有股份，没有债券，直接是你给我钱，我再给你产品、服务，或者其他较为实际的东西。

4. 慈善众筹

慈善众筹，也叫捐赠众筹，是指投资者对项目或公司进行无偿捐赠，即我给你钱，但你什么都不用给我。有个众筹项目，是让大山里的孩子走进大学校园。项目说明上写道：无论是小学生、初中生，还是高中生，我们都有着一个幻想，大学到底是什么样的？大学生的生活到底是什么样的呢？我们生活在一个并不贫困，并不封闭的地区，我们对自己的大学充满向往，努力学习，希望通过大学，改变自己的一生。

前文提到，众筹的两个核心，一个是梦想，一个是资源，从这个意义上说，众筹就是"筹梦"。比如这个众筹项目第一句话就是：无论是小学生、中学生，还是高中生，我们都有着一个幻想。这样，一下子就把我们和它的距离拉近了。

所以众筹一定要找有同样梦想的人。如果你为"让大山里的孩子走进大学校园"这样一个梦想动容，看到这里，你愿不愿意给它捐一点钱？这个项目的目标是筹集 3000 元，一个人20 元，150 人就可以筹满，在网上想找到这 150 人还是比较容易的。

综上所述，目前一共有四种常见众筹模式，分别是股权众筹、债权众筹、回报众筹、慈善众筹。这四种在中国比较好操作的，我认为应该是后两种，即回报众筹和慈善众筹。债权众筹属于 P2P。股权众筹尚且游离在中国监管体制的边缘，所以最好能不碰就不碰，但是如果你做的是私募股权众筹，只要不超过 200 位股东的上限基本上就不会有人管。

众筹入账的方式分为两种：第一种是达标入账；第二种是当即入账。什么是达标入账？比如计划筹 1 万元钱，差不多需要 100 个人，你发起一个项目，设置期限为两个月，如果在两个月内你筹到了 1 万元，即表明众筹成功，这些钱就可以给你。但如果在这个时间期限内没有筹到 1 万元，就只能宣告众筹失败，这时已筹到的资金悉数原额退还给所有投资人，你得不到一分钱。这样就大大降低了项目的风险，所以达标入账是比较好的众筹方式。

当即入账，则是指一旦发起项目，不管是一个人投还是两个人投，哪怕只投 1 元钱也会立即入账。这种方式，慈善类项目还是可以采用的。比如雅安地震、乡村图书馆等慈善项目，可能原计划是众筹 100 万元，但哪怕你只投了 1 元钱，也是你为灾区、乡村出了一分力，这种项目就无所谓成功与失败了。

/ 众筹经典案例 /

1. 天使式众筹："大家投"

"大家投"是国内著名的股权众筹平台，也是国内首个"众筹模式"天使投资与创业项目私募股权投融资对接平台，被称为中国版的 Angel List。

"大家投"的创始人是李群林，其成功之路走得并不容易。当年，李群林在各种场合下都会向人极力推荐他构想的网站——众筹式的天使平台。起初很多知名的天使投资人都拒绝了他的请求，但李群林并没有轻易放弃，他不断在微博上发表并宣传自己的理念。

终于，深圳创新谷孵化器注意到了他，并愿意做他的领投人。不久，他用众筹的形式又吸引了 11 位个人的投资，总共 12 位投资人，每人出资最高 15 万元，最低 3 万元。这其中，除创新谷孵化器是机构外，更多的投资人是没有专业投资经验的个人。"大家投"网站最后出让了 20% 的股份。

"大家投"网站的模式如下：当创业项目在平台上发布项目并吸引到足够数量的小额投资人（天使投资人），凑满融资额度后，投资人就按照各自出资比例成立有限合伙企业（领投人任普通合伙人，跟投人任有限合伙人），再以该有限合伙企业法人身份入股被投项目公司，持有项目公司出让的股份。待融资成功后，作为中间平台的"大家投"从中抽取 2% 的融资顾问费。

"大家投"有一个产品叫"投付宝"。对项目感兴趣的投资人先把投资款打到由兴业银行托管的第三方账户上，在公司正式注册验资（是指在注册公司时，需要向你的银行开户行存入一笔资金，存入后需要有专业的会计师事务所对你所存入的资金情况进行检查，并出具相关资金证明报告，又称"验资报告"，这是设立公司的前提条件之一，也是代表公司规模的因素之一）的时候再拨款进公司账户。有"投付宝"的好处之一是可以分批拨款，比如投资 100 万元，先拨付 25 万元，根据企业的产品或运营进度决定是否持续拨款。

对于创业者来讲，有了投资款托管后，投资人在认投项目时就需要将投资款转入托管账户，认投方可有效，这样就有效避免了过去投资人轻易反悔的情况，能大大提高创业者的融资效率；而且由于投资人存放在托管账户中的资金是分批次转入被投企业，就大大降低了投资人的投资风险，投资人参与投资的积极性会随之大幅度提高，这样也会大大提高创业者的融资效率。

2. 汇集式众筹：3W 咖啡

汇集式的众筹，以 3W 咖啡这一项目为代表。

2015 年 5 月，李克强总理考察中关村创业大街期间就曾到访 3W 咖啡，并由此产生了一款火爆的"总理咖啡"。3W 咖啡成立后渐渐发展壮大，2012 年、2013 年受到普遍跟风模仿，做的人很多。

这种众筹模式筹的不是梦想，而是资源。3W 咖啡的创始人叫许单单，原来是一名互联网分析师，后成功转型。他之所以能成功，主要是因为很早就采用了众筹的模式。3W 咖啡的模式就是公开向社会公众募集资金，每人 10 股，每股 6000 元，一个人合计就是 6 万元，可以说它的门槛相对还是比较高的。

通过微博的运营，很快 3W 咖啡就汇集了一大帮知名的投资人、创业者和企业高级管理人员。其中包括腾讯联合创始人曾李青、新东方联合创始人徐小平、红杉资本创始人沈南鹏等数百位中国投资界的知名投资人，股东阵容堪称华丽。

3W 咖啡一下引爆了中国众筹式的创业咖啡的广泛流行，几乎每个城市都出现了众筹式的 3W 咖啡，并且以 3W 咖啡为契机进行创业，将品牌延伸到创业孵化器的领域。

3W 咖啡仅仅是卖咖啡的吗？显然不是。它实际并不仅仅是开咖啡店的，而主要是贩卖资源的。比方说，如果沈南鹏是我的股东，徐小平是我的股东，你愿意入一股吗？肯定有人愿意花 6 万元跟沈南鹏、徐小平这一类人做合伙人。一般情况下，即使你花钱，也不一定能实现这一点。但在 3W 咖啡就有机会实现，所以它卖的并不是咖啡，而是资源，并且是高端资源。

国内有很多人模仿 3W 咖啡，但大多数众筹出来的咖啡店都以失败告终。3W 咖啡做的是卖资源，而且并不是所有人都可以成为 3W 的股东，即便你能拿出 6 万元。他们要求股东必须符合一定的条件，强调所有进来的人都必须是投资圈或者创意圈里面的顶级人物。所以参与进来的人，没有一个人拿这 6 万元钱是为了赚钱分红，实际上就是为了聚拢一个圈子。

当这样的圈子建立起来之后，会有很多好处。比如他们可以从中发掘好项目，一旦发现好项目，他们就可以把自己的股东拉到一起开个会，可能几千万、几亿的资金就筹到了。另外如果圈子里面谁有好项目，大家都可以跟投，信息完全共享。如果投资人发现一个好项目，别说 6 万元、60 万元，即使投入 600 万元，他们也都可能很轻松地赚回来。

3W 咖啡最终卖的是资源，是圈子。如果你是创业者，能花 6 万元进入这个平台，你得到的一定是资源，是投资机会。因此，越高端，大家往往越愿意进。

这样的模式在未来一定很有市场，3W 咖啡就是一个非常成功的案例。

3. 凭证式众筹：美微传媒

凭证式众筹类似于募股资金或者卖股票，目前已经被叫停了。之所以被叫停，就是因为实际上这种方式本身违反了国家监管规定。不过由于国家对于互联网金融整体持比较开放、宽容的态度，因此虽然叫停了，但也还是可以作为一种模式供参考与研究。

2013 年 3 月，通过在网上售卖原始股权而名声大作的美微传媒，最终以被证监会叫停而告终。虽然证监会及时叫停，但并没有严厉处罚，美微传媒也因此成功获得了关注度和资金。

这种高调的"叫卖式"融资方式，引起是否属于非法集资的争议，让美微传媒赚足了眼球，关注度甚至高过这家创业公司的本身业务——制作发行节目。而在这样一场疑似"炒作"的行为中，美微传媒成功融资 387 万元，其中按照证监会要求需要退还的仅有 38 万元。

事情还要追溯到 2012 年 10 月 5 日，淘宝上出现了一个店铺，名为美微会员卡在线直营店，它的店主是美微传媒的创始人朱江。他曾经在很多互联网公司担任高管，十分擅长网络营销，以致让人怀疑这本身就是一个事件营销。

开业当天，店铺就造势宣传，称消费者可以在店内拍下相应金额的会员卡，但这并不是简单的会员卡，购买者除了能享受订阅电子杂志的权益外，还可以拥有其 100 股原始股。将来公司上市之后，这 100 股就会变成很多钱，所以它实质上就变成卖股份了。

美微传媒的众募式试水在网络上引起了巨大的争议，有人说其是非法集资。最终，美微传媒的淘宝店铺于 2013 年 2 月 5 日被淘宝官方关闭，阿里巴巴对外宣称淘宝平台不准许公开募股。而证监会也约谈了朱江，因为按照证监法规定，向不特定对象发行证券或者向特定对象发行证券，累计过 200 人的，都属于公开发行。公开发行需要经过证券部门的监管和批准，然后才可以发行。

美微传媒本身不是股份制公司，而当时已经有 1000 多位股东进来了，所以明显违背了证券的相关法律规定，最后宣布该轮融资行为不合规。美微传媒也公开承认不具备公开募股主体条件，并退还通过淘宝等公开渠道募集的款项，向所有购买凭证的投资者全额退款。

　　在淘宝上通过卖凭证和股权捆绑的形式来进行募资，可以说是美微传媒的一个尝试，虽说因为受政策限制，有非法集资的嫌疑而最后被证监会叫停，但依旧不乏可以借鉴的闪光点，可以先尝试在相对小的范围内合法筹集资金。

　　这个案例背后也反映出大众的一个心理。我上课的时候经常讲一句话："人无股权不富。"更有人说，中国前 100 名的富翁，没有一个不是靠原始股权投资起家的。所以大众都有一种心理需求，那就是希望在买到产品的时候，同时也能分享到这个公司的股份，最后公司如果上市了，还能赚到钱，这就叫消费性投资。

　　在众筹时代，消费都成为消费性投资。以前你买东西，买了就是买了，之后跟商家没有任何关系。但在未来，可能买了之后，你就变成商家的投资人了，商家也因此有义务为包括你在内的所有投资人创造更大的价值，你就能因此享受到一些分红。

/ 众筹为何如此火爆 /

众筹之所以发展迅速，如此火爆，主要是由于它有与生俱来的四个优势。

1.创业门槛低

过去很多年轻人有想法、有干劲，但苦于缺资金、缺人脉，中小企业也往往面临缺人、缺钱、缺项目的困境。而众筹不仅能筹来资金，还能筹来人、筹来资源。

每个人背后都有一定的资源。有人这样诠释这句话，"认识一个人，推开一扇门，发现里面坐着一群人；再认识一个人，再推开一扇门，发现里面又坐着一群人"。所以每一个人背后，都有一群人脉资源。

众筹成功之后，往往就能拥有资源、资金。对于创业者而言，如果他自己有项目，又能解决资源、资金的问题，成功就容易多了。所以说，众筹大大降低了创业门槛，让年轻人有了更好的创业机会。

2.可预知市场需求

假如你发起一个众筹的标，自认为是一个非常好的项目，可是发布三个月之后，却只有两个人支持你。这基本上说明你的项目本身可能有问题。可见，通过众筹不仅可以拿到钱，拿到资源，同时还可以测试你的项目是否成熟，是否有市场需求。

如果你众筹的项目发标 1 万元，最后却筹来 3 万元，这就意味着这个项目的市场需求是超出你的期望的。反之，如果只筹到 200 元，说明这个项目你还得再多加考虑。这实际上就规避了很多不必要的风险。

3.可做廉价市场推广

事实上，众筹也是一种新的推广方式，比如公司如果要上一个新项目，可以先在网上发标。假设计划筹集 3 万元，3 万元对一个公司项目来说是很容易筹集到的。如果项目发标成功，将来宣传的时候，就可以说这个项目是众筹成功的项目，这就会是一个成功的广告。

所以，虽然只筹来 3 万元，但这 3 万元的价值可能抵得上以后的 30 万元广告费甚至更多。因为众筹成功的项目意味着大众的认可，意味着市场的认可。

4.可实现产销一体化

产销一体化是以经营联营形式把生产企业和特选的销售企业组成垂直型销售系统，简单来讲就是生产和销售一体化。

比如韩剧的拍摄模式拍一集播一集，有时候会根据客户的反映，修改下一集的内容，可能本来已经定好剧本，发现客户有新的好的需求，他们就会考虑并采纳。这就是典型的产销一体化的思维。

如果在未来，中国影视由现在的审查制度变为西方国家的分级制度，也可能采用这样的模式，达到这样的效果。

所以，当很多人投资你发起的众筹项目时，你可以把这些人都加到一个群里面，然后随时询问大家这个项目有哪些可以改进之处，有没有什么好的想法、建议等。这样，说不定本来你的项目还不太完善，当别人给你提了改进建议之后，项目会往越来越好的方向发展。

众筹就是众人拾柴火焰高，充分发挥大家的智慧共同做事情，这个特性让其可以完全做到边生产边销售，实现生产与销售的一体化。

　　无论从什么角度来说，众筹都是一种非常好的模式。一旦你成功发起一次众筹之后，你就会想多次发起，就像某句广告词所说，"用一次，就爱上一辈子"。

/四个关键，助力众筹成功/

1.众筹成功的第一个关键点：个人魅力

众筹的核心之一是梦想，但梦想最终会体现在创始人的个人魅力上。当你发起众筹之后，最有可能给你投资的不是天使投资，也不是你关注的名人，而是关注你的粉丝。这就是所谓的"粉丝经济"的价值，而"粉丝经济"是大数据时代的一个重要基础。

像我们做教育培训的讲师，很多时候发起一个项目，立马就会有人参与进来，就是因为我们有一定的粉丝基础。所以做众筹，如果没有粉丝基础，是不太好做的。当然，这时候你可以选择去专业的众筹网站发起你的项目，只要你的项目所承载的梦想足够有吸引力，也足够可行，仍然是可以成功的。但是如果你的粉丝足够多，你完全可以直接发起一个众筹项目，你的粉丝就可以直接给你投资，这样可以省去很多麻烦，操作更为简单。

这几年比较火的互联网"新贵"，就可以利用其庞大的粉丝群做成很多事情。比如某些年轻 CEO 想上长江商学院。长江商学院学费六七十万元，对于大多数人来讲，还是有些压力的。他们就可以采用众筹的方式来筹集学费，比如对外发布消息：我要去长江商学院上课，有没有人愿意给我捐点钱，100 元、200 元都可以，我会专门给我捐钱的人开辟一个新的通道或者建一个群，然后把自己在长江商学院花六七十万元学到的知识分享给大家。这样一来，粉丝往往会纷纷响应，帮他们促成这件事情。

众筹成功的第一个关键点是个人魅力，这跟你的粉丝基础紧密相关。

2. 众筹成功的第二个关键点：意义

也就是说，你做的事情一定要有意义。众筹的核心之一即为梦想，你的梦想一定要能感染别人。如果你的梦想不能感染别人，别人一般不愿意参与，因为他不知道投钱给你之后会不会成功，他没有把握，也不愿为之冒险。但是当你的梦想真的足够好、足够吸引人的时候，他就会想"豁出去了，就算失败我也认了"。所以要想众筹成功，你做的这件事一定要有意义。

有一所大学做了一个实验，他们把一批大学生分成三组，都在图书馆还书排队的时候插队。

其中有一组是直接过去插队，他们对前面的同学说："哎呀，不好意思，我马上要赶去上课了，你让我插一个队，先还一下书可以吗？"实验结果表明，以这样的理由插队，最后他们的成功率是97%，相当高。

第二组是什么理由都不讲，直接拿着书往前冲，嘴里还嚷着："我就要先还书。"换作是你，你会不会让他们先还？所以这样做的成功率比较低，当然由于现在人们的素质普遍比较高，尤其是大学生，很多人不会跟这种人多计较，最后他们的成功率是63%。

关键是第三组，第三组叫对照组，这组人去还书的时候也是插队，也讲理由，但讲的都是一些莫名其妙的理由，比如"不好意思，我刚洗了个手，能不能让我先还一下书？"或者"不好意思，我这本书里的这个字没有了，能不能让我先还一下书？"或者"不好意思，我刚去洗手间，能不能让我先还一下书？"反正都是一些莫名其妙的理由，但是最后他们的成功率竟然也莫名其妙地达到了93%。

这说明什么？这说明，其实人做任何事情都需要一个理由来支持，哪怕不是理由的理由。很多家长就不会讲理由，调动不了孩子。比如有些家长直接对孩子说："宝贝，你刷碗吧。"大多数孩子都不会立马去刷碗，对不对？但是如果你换一种说法："宝贝，妈妈今天真的特别累，你可不可以帮妈妈刷一下碗？"我想大部分孩子听到这句话，都会接受。所以给一个理由和不给任何理由，结果就大不一样；有时就算你讲一个莫名其妙的理由，也远远胜过没有任何理由。

我们一定要挖掘自己做的事情背后的意义。当你做的事情有意义的时候，你就可以通过这个意义去感召别人、影响别人，让别人认同你。如果没有意义，那么别人配合你的可能性就很小了。

前文提过我儿子卖书的事情。他卖了110元，100元投给了帮孩子们建图书馆的众筹项目，剩下的10元，1元给了一个乞丐，其余的自己留下了。为什么他把1元给了乞丐，把100元投给了建图书馆的众筹项目呢？因为在他眼里，这两件事情的意义不同。他觉得自己捐100元够买几本书，有可能这几本书会改变一个人的命运。但是那个乞丐，就算给他100元，也改变不了他的命运。

人往往都会为了意义做事情，当一个人为了意义做事情的时候，哪怕不要工资他也愿意干，这就是意义的力量。

3.众筹成功的第三个关键点：利益

如果你不能给别人意义，就要给别人利益。利益是永远能够驱使人行动的东西。利益主要可以分为以下几个方面：一是"权"，比如股权；二是"利"；三是"名"；四是"益"，比如股权凭证、债券凭证、红利、现金、会员资格、产品服务等。

假设我要拍一部电影，用众筹的方式来拍，我具体会怎么操作呢？我可以通过众筹先卖再生产。比如，我可以先确定电影由谁来演，剧本大概是什么样子，这样我就可以开始卖电影票了。假设票价定为80元一张。如果你对这部电影感兴趣，或者你喜欢其中的某位明星，就可以预先购买电影票。

电影院的电影票有时候会打折，但我还是卖给你80元一张票，一分钱都不会少，可是我会送你一个小礼物，这个礼物就是你的这张电影票背后会有一位主演的亲笔签名。

这样一来，这张电影票就不再仅仅是一张票了，而是一个纪念品。纪念品就有意义了，所以80元一张带着明星签名的电影票，有没有人愿意买？很多粉丝肯定求之不得。这样，第一批电影票很容易以80元每张的价格成功售罄。

紧接着我开始卖第二批票，这一批我以200元两张的价格销售。我对降价销售从来不感兴趣，我只喜欢涨价。因为涨价是很有学问的，而降价谁都会降。

迄今为止，全世界没有任何一家大企业是靠打价格战把别人打败的，降价的往往最后都把自己打垮了。降价的结果多半是把市场搞乱，把自己搞死，很难通过价格战取胜。所以我只希望增加价值再涨价。这两张票上除了会有明星签名外，还会被包装成附有"祝你们百年好合"之类字样的情侣套票。比如情人节、七夕节等特殊节日，或者一些人的周年纪念日、结婚纪念日快到了，像这样的情侣套票或家庭套票，卖200元一套，会不会有人愿意买？我相信肯定会有。你可以买这套特殊的电影票邀请意中人一起看，并趁机向对方表白，或者给另一半制造浪漫惊喜。所以这批票卖出去也不会有太大问题。

接下来再卖第三批。这一批以1000元一张的价格销售。每张票除了带有明星签名外，你还可以凭其参加首映礼，与喜欢的明星进行零距离接触。我想这对于一些铁杆粉丝来说，仍然是很有吸引力的。这样，第三批又能成功售出。

最后再卖10000元一张的票。这样的票，除了有明星签名，可以参加首映礼外，还能跟明星合影，此外这张票可以看两场，你可以卖出去，也可以送给别人，或者发给员工。10000元买几张和偶像的合影，我想肯定也会有粉丝愿意出这笔钱。

面向个人的电影票卖完了，我再来卖给企业。企业只要给我50万元，我就让其老板或者该企业指定的人，在电影里演一个角色，同时还能在电影里出现该企业的产品。首映礼的时候，可以让参演的明星拿着该企业的产品，跟老板合影。这样的话，50万元肯定也会有老板愿意出，对不对？

这样做的话，是不是给了大家足够的利益？众筹一定不能让别人亏钱。

我一直专注于教育培训行业，这个行业目前也在快速地变化。前一段时间我做了一个决定，那就是我这一辈子的课都只送不卖，全部做众筹。如果你看好我的项目，你投了钱，我就让你占点股份，还送你一个课程。通过几次实验，我发现这种做法比传统的做法效果要好得多。

4. 众筹成功的第四个关键点：容易

众筹的第四个关键点是容易。什么是容易呢？就是让别人感觉到这个项目容易成功。也就是它需要一个领投。在众筹领域里有两个概念，一个叫领投，一个叫跟投。领投就是最先投资的人，跟投就是看着差不多了再投的人。

一个众筹项目要想成功，前面的 30% 是关键，具有决定性意义。如果 30% 达成的话，剩下的 70% 就很容易有人参与。比如你上网看一个众筹项目，目前的进度只有 8%，你会投吗？我想很多人都不会。但是当你看到进度为 30% 的时候，你会不会投？我们统计过，至少会有 70% 的人选择投，因为它进度快。

所以你需要找到你的领投，也就是每个项目发起人都需要找到自己的小伙伴。不管怎么样，八仙过海、各显神通，你要想尽一切办法搞定前 30%。当前 30% 搞定之后，剩下的 70% 就容易搞定了。

这是众筹发标成功的四个关键。第一个是魅力，第二个是意义，第三个是利益，第四个是容易。如果你有很多的粉丝，同时你做的这件事情有意义，能够唤起别人心中的共鸣，也就是别人的理想和梦想，然后给投资人以充分的利益，再有人先一步领投，那这个众筹项目，你觉得能不能成功？我相信众筹项目只要具备了以上条件，一定可以成功。

互联网金融之 P2P

/ P2P是难得的创业机遇 /

1. P2P市场迅速发展

P2P 的鼻祖是 Zopa，成立于英国伦敦。目前中国的 P2P 市场呈现野蛮成长的态势，为什么 P2P 在中国能够发展得这么快？原因有以下几个。

第一，网民多，需求大。

欧美国家除 P2P 市场之外，还有比较多的投资渠道，他们有很多理财产品可以买，可以从中赚钱。而我们的投资渠道比较少，除了存入银行获得微薄利息外基本上没有其他渠道，突然有了 P2P，所以大量的钱涌入 P2P 市场。当然，我们也应该理性地看待中国的 P2P 市场。目前，整个 P2P 市场多少还是有些投机的性质。

第二，中小企业融资太难。

中小企业融资太难，而 P2P 市场正好满足了中小企业的融资需求。

一方面是中小企业强烈的融资需求，一方面是大量富裕起来的有钱人的钱无处投资。这些都导致了 P2P 在中国的野蛮成长。

在英国，P2P 的平均收益率是 5.4% ～ 7%，美国的首家 P2P 收益比例也不是很高，也只有百分之几。相对来讲，P2P 在中国的发展就比较"凶猛"。2013 年的时候中国 P2P 市场的平均收益率基本在 18% ～ 24%，以至于还流传出这样一句话："P2P 投资低于 18% 就是耍流氓。"我们不妨想一想，18% 的收益率，传统银行什么时候才能达到？可以说根本就没有可比性。

我们来看一下中国的 P2P 市场。拍拍贷是 2007 年在上海成立的，主要以美国的模式为主，就是自己搭建一个平台，让交易双方直接在这里进行交易，它只从中赚取手续费或管理费。之后活跃在 P2P 领域的是银信，它是比较有特色的一个企业，走的是证券的模式。

今年上半年，伴随"互联网＋"和"大众创业，万众创新"的春风，互联网金融发展加速。P2P 网贷作为互联网金融的重要组成部分得到了快速发展，成为解决小微企业、新创业企业融资难问题的重要渠道。有关数据显示，百万元以下的小微企业融资占 65%。

"网贷之家"公布的数据显示，2015 年上半年，P2P 网贷成交量达 3006.19 亿元，超过去年全年的 2528 亿元成交量，月均增速达 10.08%。截至 2015 年 6 月底，我国 P2P 网贷正常运营平台数量上升至 2028 家，比 2014 年年底增加 28.76%，今年上半年新上线网贷平台近 900 家。"网贷之家"还预计，2015 年 P2P 网贷行业全年成交量将突破 8000 亿元。

同时，行业收益率正逐渐回归理性。据"网贷之家"的数据，2015 年网贷行业综合收益率已经从 1 月的 15.81% 下行至 6 月的 14.17%。

2. P2P带来难得的创业机遇

只要对 P2P 行业现状有所了解，我们就会发现，P2P 给我们带来难得的创业、成功新机遇。

有机遇，同时也有风险。

为什么要做 P2P，它的优势和缺陷分别有哪些？（如表 6—1 所示）我们先来看它的优势。

表6-1　P2P的优势与缺陷

P2P优势	收益率高，一年期产品都在10%以上
	期限灵活，长、短期产品结合，流动性强
	门槛低，大多数平台100元起投
P2P缺陷	鱼龙混杂，难以辨别
	监管措施悬而未决

第一个优势，P2P的收益率很高，一般在10%以上。

第二个优势，期限灵活，也就是长期短期都可以，甚至还有"秒标"。比如你上午把钱投过来，两个小时之后就把钱返款给你，这叫"秒标"。P2P的长短期错配得比较好，而且流动性比较强。

第三个优势，相对来说，它的门槛比较低。

有人说：你投资跟你本身有没有钱没有关系，而跟你有没有投资意识、你会不会投资有关系。你有投资意识，即便没有钱，也可以投资。

比如你是一个年轻人，没有钱，但有时间、懂投资的话，可以跟一位老板合作，然后跟他说："我懂房地产投资，我帮你到处去采盘看房子，当我看好房子以后，你再来投钱。赚了钱，你给我分一点，你看行不行？"

所以就算没有钱，也照样可以投资。如果你真的选了一个好的项目，即便不是你的，你帮别人做代理经营也可以。这也是一种投资。

做 P2P 其实也一样，我建议大家也可以试着做一做。现在 P2P 形势这么火，门槛非常低，大多数是 100 元起投，而且收益率比较高，期限也灵活，我们要看到 P2P 的这些优势。

当然，P2P 也有缺陷。当初团购网火的时候，一夜之间就上演了"万团大战"。同样，当人们看到 P2P 挣钱的时候，很多人都想方设法挤破头涌进去。这其中有想真正做企业的，有想真正服务广大网民的，但是也有一批人目的不纯，就是为了来圈钱的。

在 P2P 领域里，有一个专业名词叫"踩雷"。也就是说，你投资的平台出问题，或跑路了，那你就不幸"踩雷"了。虽然任何投资都不可避免地会有风险，但就目前来讲，在 P2P 领域"踩雷"的风险还是比较高的。这个领域还处于发展初期，各种各样的公司鱼龙混杂，同时又缺乏完善的监管机制，因此我们尤其要做好防范，掌握好投资的标准。

如果你做了一个 P2P 平台，那么如何通过一些有价值、有效果的策划，通过制定一些专业可行的标准来吸引别人，让别人相信你，无疑就是你获得成功的关键一步。而如果你是一位投资者，也应了解如何防祸于未然，如何能够避免"踩雷"。

/ P2P贷款的四种模式/

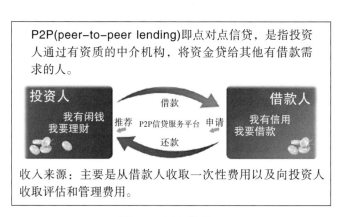

P2P(peer-to-peer lending)即点对点信贷，是指投资人通过有资质的中介机构，将资金贷给其他有借款需求的人。

投资人
我有闲钱
我要理财

借款

推荐　P2P信贷服务平台　申请

还款

借款人
我有信用
我要借款

收入来源：主要是从借款人收取一次性费用以及向投资人收取评估和管理费用。

图6-1　P2P贷款

前文讲了，P2P是指个人对个人、点对点的贷款（如图6-1所示）。比如一个人有闲钱，想投资，另一个人刚好需要贷款。有闲钱的人想把钱放贷给需要借款的人，需要借款的人想找有闲钱的人贷款，但是他们都找不着渠道。P2P就是在这种需要之下建立的专业平台，让投资人（也即出借人）、借款人（也即筹资人、贷款人）可以找到对方。

当然，P2P 平台也会审核双方的资质，尤其是借款人的资质。平台必须要为投资人负责，不是谁要借款就能借的，如果借款人什么都没有，也没有任何潜力，没有足够的还款能力，谁敢借给他？

所以平台必须审核资质，只有经平台审核通过之后，才有资格申请并获得贷款。目前 P2P 平台的收入来源，主要是向借款人收取一次性手续费，以及向投资人收取评估和管理费用。

实际上国外的 P2P 只有一种模式，但到中国之后延伸出了几种模式。常见的 P2P 贷款有以下四种模式（如图 6-2 所示）。

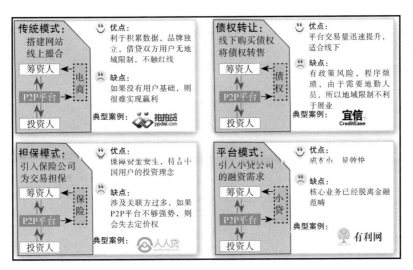

图6-2　P2P贷款的四种模式

1.传统模式

通俗地讲，传统模式就是指，我搭建了一个网站平台，在这个平台上，你想放贷你就进来，他想借款也可以进来，然后我帮助你们两个人对接。我只安排"邂逅"，不负责"包办婚姻"。就像相亲节目《非诚勿扰》一样，我只是一个牵线人。你们需要给我一点手续费或管理费，我帮忙介绍。你们两个人认识了，你们能实现交易就交易，不能实现交易就不交易。

在美国，基本上都是这种方式，但这种方式不太适应中国国情。因为中国的征信记录系统还不太完善，而且一般人也不能随便进去调查。目前这种模式以拍拍贷为代表。做平台本身没有任何风险，但是对于投资人来说，在一定程度上是有风险的。

2.担保模式

在传统模式的基础上延伸出另外一些模式，比如担保模式。担保模式是指引入担保公司。假设在一个平台上，你要放款，他要借贷，如果你们直接进行交易，可能会出现信用问题。不仅是互联网金融，所有金融永远只围绕两件事情，一是降低风险，一是增加信用。因此，为了降低风险，引入了担保公司。

传统的 P2P 有三方：第一个是借款人，第二个是投资人，第三个是中间平台。而担保模式出现了第四方，即担保公司。担保公司要对借款人进行资质审核。借款人需要把一定的资产交给担保公司作为抵押，担保公司才会为其借款提供担保。

在传统模式下，如果借款人还不了钱，最后投资人也会拿不到钱。而有了担保机制，借款人一旦还不了钱，担保公司首先会把钱代偿给投资人，然后再把借款人抵押的资产拿去处理。一般情况下，可以直接拿出去卖，也可以选择起诉或走其他法律程序，皆由担保公司决定。

因此，引入担保公司，有担保公司担保交易，交易的风险就会大大降低。目前也有很多机构在用担保的方式。由于担保公司要对借款人的资质进行审核，因此如果担保公司愿意对一个借款人进行担保，就基本能说明其信用还算比较好。而且担保公司在中国做了那么多年，一直都主要面向中小企业客户，积累了大量给中小企业放款的经验。特别是人际关系比较复杂的时候，担保公司更是具有银行所不具有的独特优势。就目前来讲，担保公司加上 P2P 平台，我觉得这是比较适合我们的发展模式。

3.债权转让模式

这种模式相对来说比较复杂。银信是典型的债权转让模式。银信出现在 P2P 之前，本来就是一个放贷公司。互联网金融出现之后，银信发现这种模式非常不错，便也迅速参与其中。银信原来本是纯线下的模式，突然意识到除了可以从线下拿钱，还可以从线上拿钱，所以专门推出了一个平台。

银信自身规模本来就很大，能力比较强，所以它采用了资产证券化的方式。资产证券化，狭义上是指以特定资产组合或特定现金流为支持，发行可交易证券的一种融资形式。通俗而言，是指将缺乏流动性但具有可预期收入的资产，通过在资本市场上发行证券的方式予以出售，以获取融资，来最大化提高资产的流动性。

假设你是贷款人，向我借了一笔钱，我把钱借给你，我没有钱了，但是我有了一张借据。比如我借了你 1 万元，年底要收回来 1.2 万元，虽然这张票据年底会换回 1.2 万元，但这张票据本身不是钱，搁在银信里也不值钱。

银信通过资产证券化，可以成功地将票据转换成现金，然后拿这些现金再去放贷，它就是一个中间机构。因为银信本身的风控能力比较强，而且在全国范围内也有很多线下的分公司，所以可以操作这种模式。

也就是说，目前来讲，如果机构不是很大的话，操作这种模式还是比较难的。而且到底该归谁管也尚不明确，因此存在着管理盲区。有人说在整个的互联网监管中，P2P应该归银监会管，众筹应该归证监会管。银信虽然是P2P，但它的这种模式将资产证券化了，它是该归证监会管，还是归银监会管都不好说。所以目前这个领域还存在法律空白，将来银信到底会走到哪一步，以及这种方式能不能走下去，也还是有待继续观察的。

4.平台模式

平台模式，是指引入小贷公司的融资需求，然后直接跟小贷公司合作。比如投资人投钱给了平台，平台有了钱之后，就跟小贷公司合作，最后再联合放贷出去。实际上，这其中有些核心业务已经脱离了金融范畴，有点资金池的概念，但严格来说，它也没有完全违规。

/ P2P核心：征信与降低风险/

P2P 的核心实际上也是金融的核心之一，即征信与降低风险。也就是，想尽一切办法去增加各个合作伙伴的信用，以及降低各个参与者的风险。任何投资，都永远围绕这两个基本点。找到有信用的人放款给对方，在放款的时候尽量降低风险，这可以说是所有投资者的共同追求。

1.投资关键：标准

投资一定也是需要标准的。在这个世界上，任何企业做大都要靠其背后的标准，没有标准很难做大。

麦当劳为什么能在全球开几万家店？因为麦当劳的标准化做得好。它的标准化精细到每一环节、每一细节，比如品质、服务、清洁等方面。它可以让一个没有任何经验的人，培训几天之后就上岗。连遇到打劫它可能都有标准步骤：先退后一步，抽屉拉开，双手举起，让对方拿钱；等对方拿钱之后，再往前走，然后把抽屉合上，接着按门铃报警；报完警之后，假装什么事情都没有发生，继续卖汉堡。

众所周知，全世界有两家企业基本上可以说从来没有因为选店选错地方而倒闭，一是麦当劳，二是7-Eleven，因为它们都有着一流的选址标准。

另外，万科的房子非常好，有口皆碑，主要也是因为万科的标准做得好。

任何投资能成功，一定是其标准做得比较好。

当年，我跟我媳妇见面第一天，我就问她："你的目标是什么啊？"

她说："我的目标是把自己嫁掉。"

认识三年之后我们结婚了。

后来，我问她："你为啥选我？"

她说："其实我大致有选老公的十条标准，一一核对之后发现你符合了九条，只有一条不符合。"

我连忙问："啥不符合？"

她说："你长得不帅，虽然十全十美我找不着，十全九美也行，就跟你这么凑合着过吧。"

几年过去了，现在我们的日子过得也还不错。

为什么我们能不离不弃？就是因为女人要跟男人过一辈子，她可能都是有标准的。很多女孩为什么最后嫁的老公不满意，很重要的一个原因就是她缺乏选人的标准。

一家企业在招员工的时候，需不需要制定标准？如果没有标准，招来的人合不合适？在这个世界上，不管做任何事情，标准都很重要。标准一定要做到量化，标准的核心也是量化。

从理性角度来讲，人们总是希望用数字、用公式等量化的方式来衡量这个世界。为什么中国菜难"走出去"？中医难"走出去"？因为没有量化，全是少许、刚好、适量，这样怎么标准化呢？没办法标准化。没办法标准化，结果就是参差不齐。

2.标准关键：借

标准并不一定非要自己建立，我们最好是借别人的标准。

量化可以看作现代科学区别于过去人类整个历史的一个关键性特征。信用卡在美国出现之初，实际是存在严重问题的，至少有一半的人都有违约率的不良还款现象，所以很多银行都不赚钱。后来美国的几个年轻人，开始尝试用量化的方式去改变这一切。他们重新制定信用标准，力求把信用卡的不良还款率降到 10% 。

现在，当你申请信用卡的时候，发卡行最看重的第一位标准，是在过去三个月之内，你查过几次征信记录。如果过去三个月中，你从来没有查过征信记录，说明你办信用卡不是有预谋的，可能就是无意为之的。如果过去三个月，你每个月都查一次征信记录，那就说明你可能每个月都有申请贷款行为，或者是申请信用卡的行为。而你现在还在申请信用卡，说明你不是优质客户，一直没有钱，急需要办卡来养活自己。如果过去三个月中你被查过好几次征信记录，这就意味着你几次试图申请信用卡，或试图申请贷款，而都没有给你批，银行自然不会考虑你。对于银行来说，风险控制是要放在第一位的。

很多老板办信用卡喜欢月月办，以致每张的额度都比较低，一般是 5000 元或者 1 万元。因为你每个月都办信用卡，银行会以为你缺钱，所以肯定不会给你增加额度，你的信用额度就会一直处于较低的状态，而且这样也不利于你贷款。如果要贷款，最好两三个月之内让你的申请信用卡记录为空，这样才相对较容易成功。

银行是通过由其他银行等金融机构共同完成的征信记录，来研究潜在客户或既定客户的行为与状况，通过借用别人做的记录，为自己服务。所以标准不一定需要你自己去建，要学会借别人的好标准，这样往往会事半功倍。

我们要学会借力，尽量不要浪费不必要的时间，充分利用好宝贵的时间。比如你去看房，先看开发商，如果是明星地产开发商，说明它是经过市场过滤留下来的，基本上不会有大问题，不好的早就被市场过滤、淘汰了。如果你买的房子是明星地产开发商开发的，基本可说明这块地被别人看好，这样的房子的价值就可能只升不降。

当然，买房还有一系列具体标准，这一系列标准可能都不是看房子本身，而是看与房子有关的事物，能证明其价值、好坏的事物。我们最好合理利用别人的好标准，尽量做到量化。

/ 投资P2P如何借"好标准" /

那么，投资 P2P，如何借别人的标准？具体要借哪些标准呢？我们一起来了解一下。

1.网查

- 官网
- 域名
- 备案
- 百度、谷歌创始人
- 关联企业
- 法院执行网
- 工商信用网
- 关联企业的执行信息

如果你准备投资 P2P 的话，可以先做网查。比如可以去它的官网查询一下，看看域名、备案信息等。如果一家网站连备案都没有，你敢投钱吗？但是有些人在不知道对方备案情况下就投钱了。很多跑路的公司，靠的就是秒标。据说史上最短命的平台是上午上线，下午跑路。所以我们一定要网查，看看它的公司官网，比如看看流量怎么样，如果没有流量，说明它的公司规模可能比较小。

"站长之家"或"爱站网"中有很多基本工具，我们可以利用它们来查询某一网站的基本信息。比如看它每天有多少流量，它的域名有多少年了，它的备案号是多少，它的归属地是哪里等，包括虚拟主机之类的都可以查。

除此之外，还可以去百度或谷歌查查公司的创始人，如果有关创始人的信息有好多，说明这个人真实存在、身份信息基本属实，如果有关创始人的信息一条都没有，那就要留个心眼了，可能他就是来圈钱的，或者至少他的实力不够强。不管怎样，这种情况风险都比较大。

然后看其关联企业。很多人做投资不仅仅只投资一家公司，往往会投资很多家公司。如果你想投 P2P，一查这家公司的老板，他刚好还是另外一家地产公司的老板，那这个标你是投还是不投？可能会有很多人点头，认为房地产公司实力雄厚，这样的标一定要投。在这里，我要奉劝一句，这种标一定不能投，往往是死路一条。

为什么？因为地产是典型的缺钱企业。如果老板同时还是地产企业主的话，你就要考虑它是否有自融行为，也就是自己拿钱给自己的企业用。比如我建了两家企业，一家是做P2P的公司，一家是做房地产的公司。而我做P2P公司就是为房地产公司融资的，这就叫自融。自融性的企业我们一定不能随便碰，所以在投资之前一定要看它的关联企业，从关联企业中基本上可以看出老板的实力，也可以猜测他做P2P公司的动机。

另外，还可以看看法院的执行网，看看这个老板是不是"老赖"，总欠债不还，法院有没有关于他的执行信息。如果这个老板被法院执行过，那就意味着我们的合作很有可能不会太愉快。工商信用网也可以查，看看公司有没有什么不良记录之类的。同时也要查关联企业的执行信息。

如果我们查一个网站，这些信息都有，而且还没有负面信息的话，那就说明这家网站还不错了。

2.口碑

- 第三方论坛（网贷天眼／网贷之家）
- 网站论坛平台（没有论坛的网贷平台要特别注意，说明它不敢让客户畅所欲言）

● 网贷投资圈的口碑

接下来，我们要查 P2P 公司的口碑。

首先，可以去第三方论坛里查。目前在 P2P 领域，有两家比较大的第三方论坛，一个是网贷天眼，一个是网贷之家。这两者是目前专门对 P2P 领域进行监管的论坛。

很多人说自己开始着手做 P2P 了，可是看到有几千家公司，到底应该投资哪一家比较合适和安全呢？在这里我告诉大家，可以上网贷天眼和网贷之家，它们都有 P2P 导航，你可以从这些网站找到那些经过它们专业筛选、资质比较好的 P2P 机构。在这两家网站调研一段时间，你做 P2P 被骗或者"踩雷"的概率会大大降低。

其次，看 P2P 公司自己的网站有没有论坛，也非常关键。因为大部分的 P2P 公司，都会针对投资人开一个论坛，让投资人在里面交流投资经验，以免"踩雷"。如果一家网站没有开通社区论坛这个功能，说明它害怕投资人见面，害怕投资人交流。

我是一名培训师，如果学员听了我的课都很满意，我当然非常希望学员们之间能够多见面交流，彼此传播我的课程，因为口碑传播是最有效的传播。但如果很多人听了我的课之后都不满意，我当然也不敢让学员们相互见面，因为一个人要退费我还能承受，如果学员集体要求退费，我该怎么办？退还是不退？不退我的名声就坏了；退的话那我恐怕就要遭受损失了。

P2P 公司也是一样的心理。

如果是好的 P2P 公司，它会很希望看到客户相互间能够有良性的互动和交流；如果是不好的公司，它肯定不希望客户彼此交流，以免生出事端，自己难以为继。因此，倘若一家 P2P 公司连一个类似 BBS 的论坛都没有，那你就要仔细考虑投资这个平台到底值不值了。

另外，可以看看它是不是有客户之间交流的 QQ 群或 YY 频道等。

最后，看看它在网贷投资圈中的口碑，看看其他同行有没有跟它合作过。比如可以看它的公司网站下面的友情链接都是哪些，有没有同行链接过它。如果一家公司网站推荐的都是一些乱七八糟的 P2P 平台，说明它也很可能是一家乱七八糟的网站；如果它推荐的网站大多都是优质 P2P 平台，点开就能看到它推荐的网站，且不少优质 P2P 平台也链接了它，意味着它基本上也是不错的 P2P 平台。

衡量一个平台有很多标准，我们按每一条标准去打分，最后看这个平台的综合得分。如果综合评分很高，那我们肯定可以放心投资；如果综合得分很低，那就不能投了。

就好比银行给个人办信用卡，也会按照相应的标准采用打分的形式去评判你，然后决定是否给你办。比如你的名下有企业是多少分，没企业多少分；你结婚了多少分，没结婚多少分；

你有孩子多少分，没孩子多少分；你是公务员多少分，是事业单位多少分；你是普通员工多少分，是高管多少分；你是什么学历对应多少分；你有房子多少分，没房子多少分；你有车子多少分，没车子多少分；你有贷款多少分，没贷款多少分；你有抵押多少分，没抵押多少分……这些都是银行考察你的标准。

投资P2P也是一样，也要有一定的风险控制机制。有很多老板确实是抱着一颗非常好的心，想为中国的P2P行业及中国的投融资提供服务，做一些贡献，但不怎么懂互联网，却一下子投身进了这个领域。如果你正好是这样的老板，我建议你最好牢牢掌握一些标准，可以帮你少走很多弯路，帮你更好地实现心中的抱负。

3.交流

- 与高管交流
- 群交流
- 创始人与客户交流频率
- 语音交流

与外围的了解相比，跟投资平台的直接交流，无疑才是真正的关键。如果我们要投资P2P，就要时不时地跟这家公司去交流，特别是要跟它的高管交流。如果这家公司的高管都不敢跟客户去交流，至少意味着他心虚吧？只有通过不断的交流，我们才能判断对方的水平高低，判断自己应不应该给它投资。

另外，我们还可以通过群交流了解这家公司。比如看看它有没有 QQ 群，如果有，可以进 QQ 群里面去交流一下，看看这家公司靠谱不靠谱。

还有，了解这家公司的老板或者高管与客户的交流频率。看看老板或者高管是不是定期跟客户交流互动，如果这家公司供客户交流的语音频道开通了，但是高管层差不多两个月才来一次，那这样的平台也不靠谱。

这其实跟通过一系列标准来判断一个人靠不靠谱是同样道理。一个男孩追一个女孩，女孩看这男孩靠不靠谱的一个主要标准也是频率。如果上午刚认识，晚上就准备计生用品，这样的人靠谱吗？还有另外一种情况，男孩认识女孩之后，电话也留了，微信也留了，QQ 也留了，但从此电话不打，微信不聊，QQ 不加，两个月之后突然抱着一捧鲜花来求婚，说你嫁给我吧，这种人一看就更不靠谱了。

看 P2P 公司也是一样，如果公司高管平时都不怎么跟你交流，两个月之后突然说，你给我投钱吧，这是什么行为？不跟客户交流的 P2P 公司，是没有大前途的。

最后，它的语音交流里面是否有辅导类的课程，也是关键标准。

4.上门考察信息

- 注册地（最好选择大城市的）

- 注册时间

- 员工数量／精神面貌

- 注册资本

- 用户数量

- 交易规模（不能太少也不能太多）

- 交易配套

- 公司背景（公司股东：学历、岁数、资产）

- 高管团队

- 风控团队

- 服务器是否自有

- 用户活跃度

- 活跃借款人

- 经营数据是否透明

- 借款人资料是否透明

- 借款人行业是否分散

- 外观（公司装修）

- 老板的年龄（最好在 30 ～ 50 岁之间，太年轻的没有积累，岁数大的没有激情）

想要投资 P2P，上门考察信息是非常重要的一步。

比如看看公司的注册地，是在大城市还是小城市，总的来说，注册地所在的城市越大，说明这家公司相对靠谱一些；看看公司的注册时间，公司的注册时间越长，说明平台可能越稳定，越短往往越不值得信赖；看看员工的数量和精神面貌，有很多 P2P 公司表面搞得很红火，规模很大，但是到公司实地一看，就那么两三个人，这种公司很可能就是典型的圈钱公司。

浙江有一家 P2P 公司，就属于这一类。这家公司员工总共就两个人，而且每个月换一次，因为老板害怕员工知道公司的秘密，所以不敢长时间使用。一些 P2P 公司，这个月是这拨员工拍的照片，下个月再来一看又换员工了，那可能老板自己都很心虚。所以我们想要投资 P2P，一定要看公司员工是否稳定，了解员工数量、精神面貌、综合素质，包括年龄层次等。

我们还要看公司的注册资本。这时我们要判断它的注册资本是否造假。注册资本多不一定就是大企业，但是注册资本少一定不是大企业。

另外，要看看用户数量，查查平台上有多少客户，包括看它的群里有多少人，看用户是否活跃。由于这种活跃度也可能是刻意制造的，因此我们需要积极地跟用户去聊天，如果他们已经投资，问他们是怎么投的，具体是什么情况，等等。

然后，看它的交易规模，交易规模最好不太少，也不太多。

比如某个人发了个 5 万元的标，这好像根本就不值得一投；但如果有人发 2000 万元的标，一般人又不敢投了。P2P 一般都是小额贷款，标越大，风险越高。所以标不能太小，太小了没人愿意玩，太大了又有圈钱的嫌疑。

当然，还要注意有没有拆标的现象。这是一种典型的欺诈手法。拆标是指本来是 2000 万元的标，因为正常情况下 P2P 是不碰这种大标的，但是为了赚钱，发起人可能会把 2000 万元的标拆成 10 个 200 万元的小标，或者 20 个 100 万元的小标。如果你投的项目有拆标行为，那就一定不能投。

再来看交易配套，也就是看其整个网上的交易配套设施是否齐全，包括有没有第三方支付，是否有银行打款、转账之类的功能等一系列配套服务，这些都需要查一下。还有公司的背景，比如这家公司的股东有几个，他们的学历、年龄、资产等情况如何 。一般来说，股东的资产越多，这家公司可能越靠谱。说白了，就算钱没了，你还可以去找股东，坐在股东家门口要债。如果股东刚毕业，自己都没钱，你的钱没了，你能找谁要？

电影《神探亨特张》中有这样一幕：有个人被车撞残疾了，因为他是在被警察追的时候突然被车撞的，事后他找警察，警察说："你又不是我撞的，你干吗找我？"他就说："撞我的那个人家在合肥，比我还穷，就三间破草房，我找他有什么用啊？所以我只能找你了。"

在 P2P 这个领域，如果股东实力比较强，你遇到问题还能找到人，还有可能解决问题。同样，高管团队的实力也是需要了解的。高管团队比较强，说明公司的运营能力也不会差到哪里去。

还得了解它的风控团队。在 P2P 领域流传着一句话："投 P2P 就是投平台，投平台就是投风控。"投资 P2P 的关键是选择在哪一家平台投，选择平台的关键是看它有没有风控能力。在 P2P 领域，花在风险控制上的精力一般占所有环节的80%。如果风险控制不好的话，最后钱去哪了，你可能都不知道。所以一定要看风控团队的专业程度，看这些人有没有相关的担保公司或者银行的工作经历。如果没有，很大程度上说明其专业度不够。

很多人说："我投的标是有抵押的，可最后人家不也拿着钱跑路了吗？而且抵押的东西我还收不回来。"为什么？因为这些人不了解法律。如果你之前签了协议，你就能收回来；如果没有，你最后很可能一无所获。

再来看服务器是否自由。比如看这家网站是否有自己的服务器，服务器是买的还是租的。服务器是买的，说明这家企业财大气粗，愿意投钱。如果是租的服务器，那你就看看有多少用户，用户的活跃度高不高，是不是经常聊天、经常沟通，特别要注意看活跃借款人有多少。

经营数据也是不可忽略的。我们要看它的经营数据是不是透明，比如公司所有的贷款、放款数据是否透明。如果透明，可以在分析其数据之后再考虑是否给它投钱。

另外也要看借款人的资料是否透明。有些人的资料很可能就是包装出来的，比如故意虚构出的借款人。如果借款人只有很简单的信息，连身份证号都没有，意味着虚构的可能性很大。借款人的信息越详细，越好确认是真借款还是假借款。

接下来还要看借款人的行业是否分散。因为每个行业的风控都不一样，比如放贷给农业企业跟放贷给机械企业，审核标准肯定是不一样的。我们不妨想一想，有没有一个人既了解农业企业，又了解金融企业，同时还了解工业企业的？我想这样的人肯定不多。所以如果借款方放的标中有的是关于农业的，有的是关于机械的，有的是关于地产的，这意味着什么？意味着借款方不专业。借款方越不专业，我们越是要考虑再三后再去投资，或者干脆别投资。

要注意公司的装修情况，公司越高大上，往往越值得信赖。

另外，老板的年龄也非常关键。老板的年龄最好在 30 岁到 50 岁之间，因为 30 岁到 50 岁是最有承载力的一批人，也是社会的中流砥柱。如果一个人不到 30 岁，意味着他的能力、经验、人脉、财富可能都跟不上；如果过了 50 岁，他可能缺乏激情，或者心力不足，还可能会跟年轻人沟通不了，带不了队伍，思维僵化等。

这些标准按每条 3 分计,你想投资的 P2P 公司能打多少分?反过来,如果你自己开了一家 P2P 公司,也可以拿这些标准对号入座,看自己能打多少分。如果得分很低,你就要赶紧改造自己的企业,尽量达到标准,甚至超过标准。

5.综合考察

- 线下放贷经验

- 风险投资介入

- 行业经营经验 / 网络推广经验

- 投资方

- 经营模式(线上还是 O2O,直营还是加盟,直营会稳健一些)

- 产品(信用贷款,出现大额的要小心;抵押贷款,抵押物是关键;借款额度;借款期限,期限短则属于过桥贷款,有风险)

- 年化收益率(10% ~ 20%之间,30%以上的很危险,出问题是迟早的)

我们需要对想投资的 P2P 公司做综合考察。

首先,看它线上和线下的放贷经验,因为做金融是一项技术活，行业经验非常关键。

其次，看它的风险投资介入情况，看有没有人给这家公司做风险投资。目前为止，中国的 P2P 行业里，已经有几十家公司拿到风投了。众所周知，做风险投资的那批人，都是极为精明的。如果这家企业有了风险投资，那至少说明风投人已经对它进行过评估，基本上风险就降低了很多，毕竟做风险投资的审核标准，比我们的要专业可靠得多。所以一家企业已经通过风投的过滤，满足了风投的标准，那么它基本上是值得我们投资的对象。

接下来，看这家企业有没有投资方，投资方的实力如何。一般来说，投资方越大，越有实力，往往说明企业越靠谱。

再看它的网络推广经验。P2P 是一种互联网金融模式，所以它必然涉及两个部分：一个是互联网，一个是金融。做互联网是技术活，做网络推广也一定是技术活。如果你懂得网络推广，花 30 万元就可以让全网都知道你；如果你不懂得网络推广，300 万元砸进去，可能连个水花都没有。

除了看网络推广经验，还要看行业经营经验，它的经营模式是纯线上的还是O2O？就目前来说，投资O2O的企业靠谱一些，O2O企业可以做到线上吸贷吸储,线下放贷。如果是纯线上的P2P企业，那它的风控能力可能就比较弱。它是直营的还是加盟的？直营的往往更加稳健，加盟的相对来说可能就不太稳健。

接着再看它的产品，投哪种P2P的产品非常关键。拿贷款来说，就有信用贷、抵押贷等。如果信用贷款出现大额的，你要特别小心，因为信用贷款没有抵押。比如平台把你的钱贷出去，对方也没有抵押，最后跑路了，平台拿什么还你？而且抵押贷款还要看抵押物，这里面可能会出现重复抵押的现象。

还要考虑借款额度、借款期限。如果期限非常短，基本上就属于过桥资金，过桥资金也可能有风险。

再来看年化收益率，年化收益率最好是10%到20%之间，当然也有比较保守的。比如我投P2P，20%以上年化收益率的都不碰。相对来说，年化收益率一般在10%到20%之间，30%以上的是很危险的，出问题只是迟早的事。

我们不妨想想，如今这个社会，我们投资什么能够得到30%的回报率？这意味着年前投100万元，年底能回来130万元。现在有什么投资能达到这个标准？所以出现这样高额的标，其背后的动机很简单，肯定就是圈钱。

很多时候，你在惦着别人的利的时候，别人往往图你的本。所以当你惦着利的时候，很可能会赔上你的本。所谓"可怜之人必有可恨之处"，大多数情况下，被骗的人都是因为过于贪心，如果不贪心，别人就不会选择骗他，也骗不了他。因此，人一定不能太贪心。所以，10%到20%之间属于正常年化收益率，30%则是高风险年化收益率。

有人说，如果公司做假怎么办？以上这些标准，如果它想要都符合，没有 500 万元，都造不出来。比如一个办公室就要投好几十万元，比如找一帮中年人帮你忽悠，跟你一块做事，也很不容易，因为大多数 30 岁到 40 岁之间的人，可能都是想踏实干点事的人。

　　很多人一直很惧怕 P2P，不敢在网上投资，因为不知道如何判断。上文提到的所有这些标准都非常关键，符合标准的企业就可以投，不符合的企业就要慎重，多做考虑或直接过滤掉。我相信，细细琢磨这些标准，对你做投资会大有帮助。

/ 如何规避P2P投资风险/

1.P2P投资的四个"绝不"

在投资的时候，我们一定还要谨防四个"绝不"。

第一，绝不碰自融。

什么是自融？就是有自己实体的企业老板在线上开一个网贷平台，从网上融到的资金主要用于给自己的企业或者关联企业输血。这种绝对不能碰。

第二，绝不碰短期。

很多 P2P 公司刚创建，没有什么知名度，往往靠"秒标"造影响力。有期限两天、三天的，回报率都很高。这种基本上要么是过桥资金，要么最后跑路，都不安全。

第三，绝不碰无预先赔付。

一般来讲，线下 P2P 签协议的时候，都会有一条，叫预先赔付。意思是说，我今天在你的平台上投了钱，如果在这个平台上拿钱的人跑路了，你的平台需要给我预先赔付。找不着跑路的人了，我就要找你的平台要钱，或者找担保公司要钱。

因此，如果有预先赔付机制，就算借款人跑路了，我们也多了一重保险。但如果没有预先赔付机制，借款人跑路了，我们找谁去？平台说"你不要找我，跟我没有关系"，那我们就只能茫然了。就好比媒人撮合你们结婚了，结婚之后你们天天吵架，你再去找媒人，媒人会负责吗？媒人肯定不负责，毕竟你们俩结婚，肯定也是两情相悦、你情我愿的。

所以，我们做投资一定要注意，无预先赔付的最好不要碰。

第四，绝不碰单个项目资金比较大的。

单个项目资金比较大，意味着风险也比较大。建议不要碰这种平台，毕竟金额越大，一旦赔付起来，我们的损失也会越大。

2.P2P投资的五个"慎重"

以上是 P2P 投资的四个"绝不"，接下来我们来了解一下五个"慎重"。这五种情况一旦出现，我们投资就要非常慎重，因为这些都是红线行为。如果说前文的四个"绝不"是红牌，只要占一个，就绝对不能投，那这五个"慎重"则可以算是黄牌行为，需要慎重对待。

五个"慎重"分别是：第一，慎重对待刚上线的平台；第二，慎重对待年化收益率 20% 以上的平台；第三，慎重对待多个注册地位于一地的平台；第四，慎重选择自身担保的平台；第五，慎重选择采用债券转让模式的平台。

刚刚上线的平台，一般不太稳定，跑路概率要大一些，所以要特别小心。

年化收益率 20% 以上的平台收益高，风险也高。风险与收益总是成正比的，如果你风险承受能力一般或比较弱，最好不要投年化收益率 20% 以上的平台。

多个注册地位于一地的平台，也就是平台里面的多个注册地位于一个地方，也包括平台上同时有很多标、很多项目位于一个地方，都说明有很大问题。

有一年，在铜陵一下子倒闭了三家 P2P 公司。因为这三家 P2P 公司彼此之间联保，其实其中两家做得非常好，但因为另外一家 P2P 公司先倒闭了，这两家联保需要赔付，结果这两家没钱赔，所以三家同时倒闭了。

自身的平台给自己担保，那就是自己既当裁判员又当运动员，这种机构怎么可能合理？所以投资这种平台一定要注意。

至于采用债权转让模式的平台，基本上是没有担保的，所以尽量少考虑。银信之所以采用这种模式，是因为其自身规模足够大，风险没那么大。如果是刚上线的公司搞债权转让，风险就会非常高，我们一定要慎重选择。